Émile Zola

CONTES CHOISIS

Edited with an Introduction by

J. S. WOOD, M.A.

Docteur de l'Université de Paris
Gooderham Professor of French, Victoria College,
University of Toronto

HODDER AND STOUGHTON

LONDON SYDNEY AUCKLAND TORONTO

ISBN 0 340 09466 4 Limp

First published in this edition 1969
Seventh impression 1984

Printed in Great Britain for Hodder and Stoughton Educational,
a division of Hodder and Stoughton Ltd,
Mill Road, Dunton Green, Sevenoaks, Kent by
Biddles Ltd, Guildford, Surrey

FOREWORD

This volume is one of a series of French texts, comprehensive in scope and catholic in taste, with subject-matter ranging from the seventeenth to the twentieth century. The series is designed to meet the needs of pupils in the sixth forms of secondary schools and also of university students reading for General or Honours degrees in French.

Editors have been invited to determine, in the light of their specialized knowledge, the right method of approach to their specific texts, and their diversity of treatment provides in itself a valuable introduction to critical method. In each case the editors have given their readers an accurate text, together with a synthesis of recent research and criticism in their chosen field of study, and a stimulating expression of personal opinion based upon their own examination of the work concerned. The introductions, therefore, are not only filled with information but are highly individual and have a vitality that should arouse the enthusiasm of the student and quicken his interest in the text.

If it be true, as Sainte-Beuve has stated, that the first duty of the critic is to learn how to read, and the second to teach others how to read, these texts should fulfil their proper function; and it is to be hoped that through their novel approach to the critical study of literature, coupled with the accurate presentation of the necessary background information, a fuller understanding of some of the great works of French literature will be achieved.

Notes have been reduced to the minimum needed for the elucidation of the text; wherever necessary, chronologies of the life and works of the authors examined are included for purposes of reference; and short bibliographies are appended as a guide to further study.

R. Niklaus

CONTENTS

INTRODUCTION

1. *Zola: an assessment*

Émile Zola might be considered the most misinterpreted and the most fascinating of French novelists of the last hundred years. Born on 2 April 1840 in Paris, he was the only child of an Italian engineer who died when the boy was seven years old. He passed the drab years of his early childhood and adolescence at Aix-en-Provence, where he and his mother eked out an existence plagued by steadily increasing poverty. He was a sensitive child, undistinguished at school; his only relaxation was to roam the countryside of Provence with his two friends Paul Cézanne and Baptistin Baille, revelling sensuously in the richness of nature and declaiming romantic poetry. His family went to Paris in 1858. After some months at the Lycée Saint-Louis, where he failed his *baccalauréat*, Zola tried living on his own, and moved from one sordid lodging-house to another, starving and writing poetry. In 1864 he published *Contes à Ninon*, a whimsical, innocuous, fanciful collection that could have been inspired by Musset or Murger and that received a few murmurs of polite approval. Yet when he died on 29 September 1902 he was hailed as a national hero, to whom were accorded the honours of a military funeral; Anatole France, once an enemy of Zola, pronounced a graveside oration of which one sentence has remained famous: 'Il fut un moment de la conscience humaine!'; and in 1908 the ashes of Zola were transferred to the Panthéon, there to share immortality with Voltaire, Rousseau and Victor Hugo.

Despite this apotheosis (chiefly due to political reasons), it was not until about 1950 that the real value and the real complexity of Zola's literary work began to be appreciated. Until then critics had mainly seen Zola's work, in the words of Louis Ulbach, as a 'littérature putride',[1] and Zola as a writer who, under cover of noisy and fallacious arguments which claimed to associate the aims and methods of science with those of literature, took pleasure in colourful pornography.

[1] Ulbach was a literary critic of *Le Figaro* in 1867, when Zola published *Thérèse Raquin*. So was Zola. It is possible that Ulbach used this term with Zola's connivence, to attract the public (cf. Armand Lanoux, 'Zola vivant', in *Œuvres complètes*, Paris, Cercle du Livre Précieux, 1966, vol. I, p. 95). It nonetheless aptly sums up the attitude of a host of horrified critics.

Since the works of Henri Mitterand, Armand Lanoux, F. W. J. Hemmings, Guy Robert, John C. Lapp and J. H. Matthews, to quote only a few of the outstanding modern critics, such an interpretation is a total anachronism. His position in nineteenth-century literature is assured; like Stendhal, Balzac and Flaubert, he is the centre of continuing research and study.[1]

A detailed biography of Zola is not necessary here, but the main details of his unusual existence need to be known, if only as a background for the short stories included in this edition. In February 1862 Zola gratefully accepted a menial job as a despatcher with the publishing firm of Hachette. His father's projects had always come to nought; Zola was determined to succeed. In him there lurked a mass of unresolved complexes, a sense of guilt and sin relating to sex, a tormented world of hallucinations and obsessions. He was, and remained, a neuropath, an *anxieux*, and his work will reflect this. But he was energetic, highly intelligent, eminently practical when necessary; he also had a curious, intuitive gift for sensing and adapting himself to the intellectual climate around him. The 1860s were marked by an enthusiasm for scientific research and discovery; it was an age of positivism,[2] of experimentalism; the movement of literary realism [2] that

[1] *Le Divan*, a review devoted to Stendhalian studies, appeared from 1909 to 1958; *Les Amis de Flaubert* started publication in 1951; *Les Études balzaciennes* appeared at intervals from 1948 to 1960, when it was superseded by *L'Année balzacienne*; and the *Cahiers naturalistes*, first published in 1957, is continuing. See also, on the extending interest in Zola since 1950, F. W. J. Hemmings in *Cahiers naturalistes*, no. 23, 1963, pp. 299–303.

[2] Positivism and realism. Literary realism began to take form around 1850 as a reaction against romanticism. With the beginnings of the movement are associated the names of Champfleury and Duranty, who made an effort to adapt to their times a conception which in the sense of 'reproduction of reality' is as old as literature itself. Realism they defined as the 'choix des sujets modernes et populaires'; the writer must be *sincere*, that is, represent as exactly as possible what he sees, without excessive restraint or prudence. Art must be simple, must renounce stylistic effects and orgies of description. The lower orders and the small bourgeoisie should be the sources of the writer's inspiration.

This modest attempt to move away from the introspective and imaginary world of romanticism was fortified by the scientific disciplines of the period. In 1842 Auguste Comte had published his *Cours de philosophie positiviste*, in which he systematized and clarified the sciences, in the name of positivism. Positivism glorified science, swept aside all metaphysical systems, aspired to a complete explanation of the universe and to the organization of man on a rational basis. Powerfully synthesized by Comte, developed by Littré, Taine and Renan, positivism diffused throughout a large public a faith in science, a liking for facts and observation, and often a hatred for Christianity and for

developed after 1850 was only one manifestation of the prevailing empirical spirit. It was after Balzac's death in 1850 that Taine eulogized Balzac as a master of realism; Flaubert, despite his loathing for the movement itself, published in 1857 *Madame Bovary*, which by its choice of subject, and its attempted objectivity based on careful documentation, satisfied many of the tenets of the realists; the Goncourt brothers published *Germinie Lacerteux* in 1865, preceded by a challenging preface in which they demanded right of entry for the lower orders into literature. Zola was an admirer of the philosopher Taine and of the historian Michelet, both of whom glorified science as the mistress of the world.

Zola had long dreamed of being the modern Lucretius, and of writing the epic of his age. But even while he was writing the *Contes à Ninon*, a concession to the poetic side of his nature—there will be others—he realized that poetry could not be his medium. In one of his early articles published in the *Journal populaire de Lille* in 1864, he declared:

> Je ne nie pas qu'il naîtra sans doute encore de grands poètes, chantant les passions et les fatalités qui nous étreignent, sans se préoccuper des nouvelles vérités trouvées. Mais ne seront-ils pas grands aussi ceux-là qui, tout en laissant dans leurs œuvres une large place à l'étude des cœurs, lorsqu'ils en viendront à celle du monde, y porteront, au lieu de leur fantaisie, la grandeur calme et précise de la réalité?

In these articles, as Mitterand points out, 'se découvrait soudain le jeune positiviste, hostile aux dogmes, croyant au progrès de l'humanité, prêt à assigner pour mission unique à la littérature de décrire et de chanter la marche de l'homme vers plus de savoir et plus de bonheur'.[1] It is not likely that this change was dictated by opportunism; it was

---

political autocracies. Other figures who added to the prestige of science are Marcellin Berthelot and Claude Bernard.

[1] Henri Mitterand, *Zola journaliste*, p. 23. This book recounts the career of Zola as a journalist. From 1863 until the year of his death, Zola contributed to numerous newspapers and periodicals: political articles, literary criticism, impressions and reflections on the activities of the day. It is an exciting story, splendidly told by Mitterand, who estimates that the totality of his articles would occupy 'plusieurs dizaines de livres' (p. 7). Zola admitted himself that the press was a lever that he utilized to make himself known, but he also used it as a battleground on which he generously and fearlessly championed any cause that he believed just, whether it was a matter of demanding better conditions for the oppressed classes or of criticizing traditionalist art.

more probably, in Hemmings' words, an 'inner revolution that triumphed in Zola at the outset of his literary career'.[1]

In November 1865 he published *La Confession de Claude*, which roused a hue and cry: 'amours honteuses et dégradantes', 'souillures', 'hideux réalisme'.[2] Zola was delighted; he had already, that same year, caused many eyebrows to lift by a spirited defence of *Germinie Lacerteux* and of the painter Courbet.[3] There was only one 'school', he proclaimed, that of the 'fortifiantes brutalités de la vérité', that of modern life 'telle que l'a faite une civilisation avancée'. The artist has not only the right to depict all aspects of the external world as exactly as possible, but also the right and the necessity to express himself, his personal temperament, through his work. 'Une œuvre d'art est un coin de la nature vu à travers un tempérament.'[4] Fundamentally, Zola will never deviate from this principle. As Mitterand rightly points out, 'qui interprète le Naturalisme[5] comme une doctrine de soumission absolue à l'objet, de reproduction impersonnelle des choses, ou des êtres regardés comme choses, commet un contre-sens absolu... A beaucoup d'égards, le réalisme *zolien*—il convient de marquer la précision—est un romantisme.'[6]

Zola was by now so certain of what he had to do that in January 1866 he resigned from Hachette's, where he had become publicity manager, to devote himself entirely to writing. He had confidence in his strength, his tenacity, and his ideas. Living in an age of 'science' and 'realism', he would hoist these ensigns to his masthead. He knew the value of shock-tactics. The preface to the second edition of his *Thérèse Raquin* in 1868 was deliberately provoking: his hero and heroine, he states, are not characters, they are merely temperaments, creatures that react to purely physical stimuli. Moral motives have no part in their existence:

[1] F. W. J. Hemmings, *Émile Zola*, p. 18.

[2] Henri Mitterand, op. cit., p. 49.

[3] In *Le Salut public de Lyon*, 1865.

[4] These quotations are from Zola's articles in *Le Salut public*, 1865.

[5] Against the background of positivism and realism sketched in note 2, p. 10 above, naturalism can be seen as little more than an extension of realism, with the difference that it is more marked by scientific preoccupations, by a belief in determinism, and by the desire to portray the disinherited classes. The writers who best illustrate the varied aspirations of the realist and naturalist doctrines are perhaps the Goncourt brothers. The close alliance between science and literature that Zola loudly proclaims need not be taken too seriously, as we shall show, even although it was Zola who adopted the term 'naturalism'. (Cf. Mitterand, op. cit., p. 208.)

[6] Henri Mitterand, op. cit., pp. 47–48.

> Thérèse et Laurent sont des brutes humaines, rien de plus. J'ai cherché à suivre pas à pas dans ces brutes le travail sourd des passions, les poussées de l'instinct, les détraquements cérébraux survenus à la suite d'une crise nerveuse. Les amours de mes deux héros sont le contentement d'un besoin… enfin, ce que j'ai été obligé d'appeler leurs remords, consiste en un simple désordre organique, en une rébellion du système nerveux tendu à se rompre.

Zola knew what he was doing; the scandalized critics who hastened to refute him provided him with free advertisement. By repeating striking words and phrases long and hard enough, he imposed them on the public. He declared to Flaubert that the word *naturalisme* was not in itself important, 'et cependant je le répéterai, parce qu'il faut un baptême aux choses, pour que le public les croie neuves… J'ai d'abord posé un clou, et d'un coup de marteau, je l'ai fait entrer d'un centimètre dans le cerveau du public…'.[1] The same truculence is reflected in many of his articles and critical manifestoes.

It would, however, be just as easy to multiply examples of the kind quoted from *Le Salut public* of 1865. In 1887 he wrote: 'Je ne suis de l'école de rien, ni dans le roman ni dans le drame; je suis au contraire pour la passion, pour ce qui agit et ce qui émeut; et, à mon sens, le décor n'est que le milieu qui complète et explique le personnage.' *Les Misérables* of Victor Hugo, whom Zola disliked, commanded his admiration because of 'l'intensité du lyrisme'. And in a letter of 1875 he wrote: 'Nous ramassons simplement des documents humains et nous nous contentons de dresser le procès-verbal des faits auxquels nous assistons… Mon métier, rien de plus. Pas d'autre idée que de créer mes bonshommes puissamment. Et une seule joie: être intense… faire sentir mon poing dans chacune de mes phrases, en dehors du juste, du vrai et du beau.'[2]

This confrontation of texts might suggest, I think wrongly, that there was a fundamental insincerity in Zola. He was certainly attracted by a number of scientific notions, among them the law of the influence of environment as formulated in Taine's Introduction to his *Histoire de la littérature anglaise*, 1863; the laws affirming the purely physiological origin of feelings and emotions, which he got from a book of Dr Letourneau, *La Physiologie des passions*, 1868; and the laws of heridity, outlined by Dr Prosper Lucas in *Traité philosophique et physiologique de*

[1] Quoted by Hemmings, op. cit., pp. 154–55.

[2] Cf. Guy Robert, *Émile Zola: principes et caractères généraux de son œuvre*, ch. II and p. 186, for a fuller discussion of these and other texts.

l'hérédité naturelle dans les états de santé et de maladie du système nerveux, which Zola read at about the same period. The work of Claude Bernard, *Introduction à la médecine expérimentale* (1865), served for Zola as a tardy confirmation of his ideas on the 'experimental' novel, since he did not read Bernard's book until 1878. But these influences are not enough to explain Zola; he can be properly understood not indeed by reference to any particular method, or any particular label, but through his passionate desire, from which he never deviated, to seek his inspiration in contemporary material. The artist, he thought, could manifest his originality only if he participated in his age. Since Zola's period was characterized by the development of science and rationalism, he sought likewise to understand and render reality through reason and logic; his weakness lay in suggesting a too arbitrary causality between physiology, environment, and human behaviour. Even so, he does not apply these ideas objectively; he colours them with a mythology. It might even be said that the 'real' Zola, the Zola who remains today vital, exciting and intensely moving, is the man who forgot his theories as he wrote, and for whom the tragedies and hopes of ordinary human beings assumed an epic grandeur.

From the experience gained in writing his early novels, and from his reading, Zola finally conceived the vast project to which he was to devote twenty-five years of his life: the portrayal of a whole society, the 'peinture des mœurs contemporaines' that Taine had suggested to him.[1] The first volume of *Les Rougon-Macquart: histoire naturelle et sociale d'une famille sous le second Empire*, appeared in 1871. The vastness of *Les Rougon-Macquart* makes comparison with *La Comédie humaine* inevitable, but Balzac's work was not planned in the coherent way that Zola's was. 'For sheer determination and purposefulness there had been few events in recorded literature to match the twenty-volume series of *Les Rougon-Macquart*.'[2]

The first generation of the family consists of three people: Adélaïde Fouque, born before the Revolution, a victim of hysteria, convulsions, and finally madness; her husband Rougon, who is a healthy peasant; and her lover Macquart, a poacher, and mentally unbalanced. Of the three representatives of the second generation, Pierre Rougon is relatively healthy, Antoine Macquart is an alcoholic, and Ursule Macquart a consumptive. Thanks to a fortunate marriage of Pierre to the daughter of a business man in 1810, the Rougon branch—the

[1] Cf. Hemmings, op. cit., p. 50.
[2] Hemmings, op. cit., p. 52.

legitimate one—enters the lower bourgeoisie. The Rougon group rapidly advances, and by 1850 belongs to the upper bourgeoisie. The Macquart group—the bastards—climb slowly; by the third generation they are small traders and workmen, some upright, the majority alcoholics and unstable individuals. A marriage unites the two branches in 1840—François Mouret from the Macquart side and Marthe Rougon—and from this point the double family spreads out into all compartments of society: 'fonctionnaires, députés, ministres, médecins, brasseurs d'affaires, journalistes, rentiers, grands commerçants, prêtres, peintres, mécaniciens, mineurs, prostituées, blanchisseuses, charcutiers, soldats, paysans... on y voit paraître tous les mondes'.[1] The family progresses—or declines—through two more generations, marked by disease and numerous forms of madness; only the old Dr Pascal Rougon and his young niece Clotilde are healthy and vigorous. As an answer to the collapse of the Second Empire, and as an act of faith in the future, Zola has Pascal conceive a child by Clotilde, thereby indicating the triumph of life over heredity and death.

But *Les Rougon-Macquart* is not a family chronicle, in the sense that we are not taken systematically through the five generations of the Rougon-Macquart group; the phenomena of human behaviour are presented more dramatically than scientifically, despite the disturbing way in which we are frequently reminded that 'heredity' is taking its toll; and the action of *Les Rougon-Macquart* is situated mainly in the period of the Second Empire because Zola had a profound contempt for the Imperial régime. He had grown up under it, and under it had experienced misery and starvation, disappointment and disillusionment. He was a generous spirit; he hated man's inhumanity to man; as a journalist and as a novelist, he was the constant enemy of the stupidity, the political corruption and the febrile materialism that he saw all around him. A limited starting-point, dictated by personal prejudices: this does not hold promise of a very scientific treatment. Moreover, many of the novels, including significantly some of the greatest, have rather tenuous links with the Second Empire. Zola, as we have pointed out, was enthusiastically 'contemporary'; his documentation was taken from immediate situations; but since the Empire fell when he had only just begun *Les Rougon-Macquart*, he could only keep to his original intentions by making some compromises with chronology.

Les Rougon-Macquart, however, is memorable precisely to the extent that it bursts through its narrow framework. French society in the

[1] P. Martino, *Le Naturalisme français (1870–1895)*, p. 56.

period 1870–90 was not fundamentally different from that of the Second Empire. It is of minor importance, for example, whether Zola, in depicting the lot of the miners in *Germinal*, was using information collected after 1870. What is important is the picture that he gives of human beings in the mass, of their essential and eternal problems; and the motive force behind *Les Rougon-Macquart* is not heredity, but Zola's will to create. 'Zola voulait être Zola. S'il avait réussi à se faire écouter avec ses poèmes, il serait parti, toutes voiles dehors, vers le lyrisme. L'œuvre est née de la rencontre d'une volonté de domination avec un certain nombre d'idées flottantes, dont l'écrivain s'est emparé parce qu'il fallait un minimum d'idées pour cimenter le tout.' [1]

There are two 'worlds' in Zola, or two visions of reality: 'la vision d'un monde de désordre, de souffrance, de détresse, peuplé de coquins, de malheureux, de grotesques, et celle d'un univers où l'activité et la fécondité des hommes fait chaque jour reculer la bêtise, l'obscurité et la mort'.[2] On the one hand, Zola's violence, resentment, and hatred, on the other, his pity and his indignation: few writers are less impersonal than Zola, and none more vigorous and challenging. There are likewise two dimensions to his work: the tragic dimension, the portrayal of the daily conflicts and miseries that compose the lot of many men and women; [3] and the poetic, the imagination of Zola that transcends the documentation, the force of his own inspiration that sweeps him along so that the environment and the activities of his personages take on a kind of autonomous life. The metaphors and symbols crowd in; ordinary existence is transfigured, and is invested with an epic quality. Realism is forgotten; the intense powerful vision created by a poet remains.[4] And dominating all the misery and the suffering, and the sordidness, is the persistent irrepressible optimism of Zola: 'Toujours

[1] Armand Lanoux, 'Zola vivant', op. cit., p. 101.

[2] Henri Mitterand, in *Cahiers naturalistes*, nos. 24–25, 1963, p. 14.

[3] As one of many examples, one might quote the scene described in chapter II, part II, of *Germinal*, in which La Maheude, the miner's wife, with two of her children, stands half-proudly half-imploringly before the Grégoire family, trying to make them understand that she needs more than old clothes and a morsel of bread to stop her brood from starving. So graphic is this episode, in its unpretentious realism, that it is unforgettable.

[4] A few examples: the description of Les Halles, with its abundance and endless varieties of food, in *Le Ventre de Paris;* the gargantuan feast in *L'Assommoir;* in *Germinal*, the mine Le Voreux portrayed as an insatiable monster that devours human flesh, and the surging crowd of striking miners demanding bread; the locomotive in *La Bête humaine*, a living, palpitating machine made human by the forceful personalization of the description.

menacée, la Vie, qui est bonne, ne périra point; et la lutte qu'elle soutient contre les forces de décomposition et de mort nourrit en l'homme l'espérance et l'action.'[1]

The remaining novels of Zola, grouped under the headings of *Les Trois Villes* and *Les Quatre Évangiles* (the fourth was never written), are an anti-climax. They are too much *romans à thèse*, stressing the failure of the Church and triumphantly confirming Zola's faith in the redemption of the world through the efforts and virtues of man alone. They are interesting for another reason, as an astonishing example of the influence of life upon art: in 1888, when Zola was passing through a period of utter discouragement, he had met Jeanne Rozerot, a girl of twenty. Through her he knew the joy of paternity, and the physical and spiritual regeneration through human love of which he had always dreamed.[2] Something of this is reflected in these works, as it was reflected in *Le Docteur Pascal*, the last of the Rougon-Macquart series.

There is admittedly an element of violent eroticism in Zola's work. This is the aspect on which hostile critics have always fastened, and which for too long has stuck, like mud, to Zola's name. Looked at more searchingly, it takes on a different light. It is not something that Zola revels in: complacent and inflammatory descriptions of sexual delights are rare; the explosions of sexuality in Zola are often the product of a powerful and passionate temperament that was for long paralysed by fear of normal sex, and that took refuge behind timidity and an exaggerated idealism; they come not from his experience, but from his imagination, an imagination 'fouaillée par la continence', as Lanoux says. 'La chasteté de Zola et l'érotisme de son œuvre sont l'envers et l'endroit de la même médaille.'[3] This kind of eroticism, which because of the conflict that underlies it is more disturbing than exciting, significantly diminishes with the ripening of his love for Jeanne.

The sexual element in his work also has other explanations. It may be there because of the inevitable importance that it assumes in the deplorable, joyless and poverty-ridden lives of the depressed classes; or because it is the principal manifestation of the turpitude of the comfortable bourgeoisie that Zola despises; or again because of Zola's

[1] Guy Robert, op. cit., p. 177.

[2] This fateful event transformed Zola. It also brought profound anguish to his wife, and the rest of Zola's domestic existence, divided between two households, was a troubled one. His wife had the magnanimity to allow the two children of Jeanne and Zola, on the latter's death, to adopt their father's name.

[3] Armand Lanoux, op. cit., pp. 109, 155.

obstinate conviction that mankind will survive despite everything. Sex and reproduction are the condition and the justification of man's survival. But seldom, if ever, is sex present in Zola merely because of the pictorial possibilities that it offers.

If Zola's literary status was not as great at the end of the nineteenth century as it is now, it was nevertheless considerable. His combative journalism had kept his name before the French public; his novels were eagerly read in Russia; for Flaubert, Maupassant, Turgenev, Mallarmé, and many others who were not, like Brunetière, shocked by its 'immoralité', Zola's work bore the mark of greatness; around 1880, Zola had been the centre of a group of younger writers for whom his literary achievements represented a model to be imitated.[1]

But the zenith of Zola's career was his intervention in the Dreyfus affair.[2] Once convinced of the innocence of Dreyfus, he saw red, and threw all his weight into the campaign for reconsideration of the case. He knew what he risked: his hardly-won tranquillity, his chance of

[1] In 1880 was published *Les Soirées de Médan*, a collection of short stories by Zola (*L'Attaque du Moulin*), Maupassant, Huysmans, Céard, Hennique and Alexis; these authors had for some time been frequent visitors to Zola's house at Médan. *Les Soirées* is not the manifesto of a literary movement, but it does express the attitude of a number of writers who for a short while had a certain community of views. 'On put un instant croire constituée une école naturaliste, caractérisée par la vision âpre et sarcastique d'une réalité systématiquement réduite aux dimensions du médiocre... mais une telle cohésion ne dura pas.' (Guy Robert, op. cit., p. 35.)

[2] Late in 1894 the French War Ministry came into possession of a letter that had been stolen from the German Embassy. The letter was a schedule (hence referred to in all subsequent proceedings as the *bordereau*) of documents containing military information, which the writer of the letter proposed to hand over to the German military attaché. Captain Alfred Dreyfus, a regular officer and a Jew, was accused of being the author of the *bordereau*. He was tried before a court-martial on trumped-up evidence, condemned, stripped of the insignia of his rank before his troops, and deported to Devil's Island in January 1895. The supporters of Dreyfus continued their investigations, and during 1897 Colonel Picquart found evidence that clearly pointed to a certain Major Esterhazy as the author of the *bordereau*. It was at this point that Zola entered the lists. A retrial was ordered in 1899; Dreyfus was again declared guilty by a court-martial, but was allowed to petition the President of the Republic for pardon. The *affaire Dreyfus* was not finally settled until 1906, when Dreyfus, twelve years after his disgrace, was reinstated, given the rank of major, and decorated with the Legion of Honour. But it was a civil court that rehabilitated him; the army never in fact acknowledged its mistake—or its treachery. The *affaire* divided the country into two bitter camps, which began to disarm only with the approach of a worse catastrophe in 1914.

election to the Académie Française, the friendship of many of his confrères, his credit in the popular press (which was strongly anti-Dreyfusist), and physical violence to himself and his family. 'N'importe; il vient de reconnaître, rôdant dans les salles de rédaction de la presse nationaliste, dans les bureaux de l'État-Major, dans les couloirs du Parlement, les ennemis de toute sa vie: le mensonge, l'injustice, le racisme, la bêtise...'[1] He published two articles in *Le Figaro*, in November and December 1897. The newspaper, faced with the indignation of its readers, closed its doors against Zola. This was not the way to stop Zola. On 14 December 1897 and 6 January 1898 he published independently two brochures, two admirable texts: *Lettre à la jeunesse* and *Lettre à la France*. On 11 January 1898 Esterhazy was summoned before a military court, and acquitted in three minutes—cynical evidence of the fact that the army had no intention of admitting that it had made a mistake in condemning Dreyfus. Zola's ripost was a letter published in *L'Aurore* on 13 January 1898; it was addressed to Félix Faure, the President of the Republic, and on the suggestion of Clémenceau, the director of the paper, it bore the defiant title *J'Accuse!*

No incident could better illustrate the real character of Zola: a keen sense of timing, but also a love of truth and justice so strong that he could not keep silent. *J'Accuse!* was a bomb launched at the precise moment when the *affaire* could have been effectively stifled.[2] Zola was summoned to appear before the Assize Court of the Seine, and condemned to one year's imprisonment and a fine of 3,000 francs. He was advised by his lawyers, in order to avoid arrest and keep his case open, to leave the country. The violent mood of the anti-revisionists, backed by the army, may also have weighed with them.[3] Accordingly, Zola went to England, and stayed there until the announcement of a retrial for Dreyfus. When he returned to France, he continued to make his protests heard until the end of 1900, although there seemed no prospect of real justice ever being done.

[1] Henri Mitterand, op. cit., p. 234.

[2] He showed the same characteristics all through his career. They explain his conception of *Les Rougon-Macquart*, his early, outspoken defence of Manet and of the Impressionist painters, his denunciation of the rottenness of the Imperial régime and of the futile war of 1870 into which it dragged the country, his protests against the repressive measures which Thiers instigated against the Commune in 1871 and which, as Zola foresaw, were to bring France to the verge of civil war—there were few scandals and few stupidities that Zola did not unmask.

[3] Cf. Hemmings, op. cit., pp. 287–88.

Whether or not his enemies had the last word has never been determined. On the day in September 1902 when he and his wife returned from the country, they had a fire lit in their bedroom. The next morning Zola was found dead, from an excessive concentration of carbon monoxide in the room. One conjecture is that the chimney was stopped up by some workmen doing repairs on the adjoining house, and unstopped early the following morning to avert suspicion. Zola's final triumph came only after his death.

2. *The short stories*

Zola's short stories have been overshadowed by his novels.[1] Few critics, with the very early and outstanding exception of Sir Edmund Gosse[2] and much more recently John C. Lapp,[3] have paid them serious attention. It is true that a reader of the first collection, *Contes à Ninon*, may well be forgiven if it kindles little enthusiasm in him. They represent the early Zola, the exalted and romantic dreamer all too ready to indulge in sentiment and pathos, and to chatter away to his 'Ninon' in a complacently effusive style that is unbearable. Ninon is the incarnation of Provence, and also the loved one of his imagination, the figure to whom he can pour out all his youthful fantasies, all his tangled thoughts and desires. The Zola of the *Contes à Ninon* is a writer to whom art is meaningful only to the extent that it avoids everyday reality.

But the transformation in outlook that took place in Zola in the 1860s is as marked in the stories that postdate the *Contes à Ninon* as it is in his novels. These subsequent stories present a great deal of interest. As a short-story writer, Zola can be compared favourably to Balzac; the best examples of his stories show considerable artistry, they are constructed with care, they tell a good tale well and smoothly, and they reveal, in a more accessible though sometimes more naïve form than *Les Rougon-Macquart*, his essential characteristics. The six stories given here are representative both of his art and of his ideas.

[1] The short stories comprise four volumes of the *Œuvres complètes*, Paris, Bernouard, 1927–29. When the present text was being prepared, this was the best edition available. The definitive edition of the works of Zola (Cercle du Livre Précieux, fifteen volumes) is in process of publication; vol. IX will be devoted to the short stories.

[2] 'Essays on the Short Stories of M. Zola', in *The Attack on the Mill and other Sketches of War*, London, Heinemann, 1892; reproduced in *French Profiles*, Heinemann, 1913, vol. IV.

[3] *Zola before the 'Rougon-Macquart'* (1964). Lapp's viewpoint, namely that no study of Zola's literary development can safely ignore his *contes*, is sound, but of course his subject restricts him to the earlier stories. See also the studies of David Baguley, *The Short Story Form as practised by Émile Zola during the Period 1875–1880*, dissertation submitted for the degree of Master of Arts, University of Leicester, 1966; and 'Les Sources et la fortune des nouvelles de Zola', *Cahiers naturalistes*, no. 32, 1966, pp. 118–32.

LES QUATRE JOURNÉES DE JEAN GOURDON [1]

Sir Edmund Gosse speaks of 'the charm and romantic sweetness of this little masterpiece', which 'deserves to rank among the very best things to which M. Zola has signed his name'.[2] Man passes through an unceasing cycle of growth, fertility, suffering, death and rebirth; on a vaster scale nature passes through the endless repetition of the four seasons. The two dramas are not separate, the natural symbolizes the human, and the human is reflected in the natural. It is not that to each season corresponds exactly an age of man, despite the title and the construction of the story (as Lapp points out,[3] the word *journée* is the mediaeval term for a section of a drama), but that man and the earth are part of the same universal life, and an imaginative writer like Zola will constantly draw analogies between them. This theme of the merging of man and nature will figure prominently in later novels of Zola; it is in *Les Quatre Journées de Jean Gourdon* that it first appears clearly.

In section I it is spring. In the lush valley of the Durance, in a radiant setting vibrant with new life, Jean and Babet confess their love. Jean is eighteen, and lives with his uncle the *curé*. Babet is a simple country girl of about the same age. This section is a delightful idyll, only slightly marred by the tendency of Jean and the *curé* to express themselves in an over-effusive manner reminiscent of earlier stories.

In section II it is summer, some years later—possibly six, although the text does not make this clear. Jean is a soldier, fighting in an unnamed war. This time the function of nature is to emphasize the folly of man: upon the senseless slaughter a magnificent summer sun looks down with indifference. The description of the battle is remarkable, because it is made up more of blurred impressions than of exact details. What Jean recalls is not a precise picture, but the experience of an individual soldier moving trance-like through a terrifying episode. Fabrice, in *La Chartreuse de Parme* of Stendhal, had a similarly confused impression of the fighting at Waterloo. The ironic contrast between the blissful peace of the past and the horror of the present is skilfully illustrated: as Jean lies wounded after the battle, his efforts to read a

[1] From *Nouveaux Contes à Ninon.* First published in *L'Illustration,* from 15 December 1866 to 16 February 1867.

[2] op. cit., pp. 20–24.

[3] op. cit., p. 33.

letter from home are repeatedly interrupted by the brutal realities around him.

In section III it is autumn, fifteen years later. Immediately after his return from the war, Jean had married Babet, and he is now a successful farmer. They are happy and prosperous, and nature lavishes upon them its riches. One thing is lacking: a son. Finally, a son is born to them, and simultaneously the *curé*, having seen at last the birth of new life, slips gently into death. It is in this section that the symbolism is the most evident, and that the tone becomes over-sentimental to the point of being irritating. Zola in fact always portrays struggling humanity more effectively than happy humanity.

Another eighteen years go by. In section IV it is winter. Jean's son Jacques is eighteen years old, his daughter Marie is ten. Disaster strikes when the Durance bursts its banks, sweeps away the cattle, destroys the house, and engulfs the family. The destruction of a life's work—but Jean manages to carry Marie to safety. The last paragraph is like a postscript, conveying the real climax of the story: Jean looks back on the disaster; his life is ended; but Marie is a grown woman, who will carry life on. This section is a superb piece of narrative prose. From the first line Zola suggests something sinister, and he builds up the atmosphere so relentlessly that we wait anxiously to hear the awful sound of mounting water. From this point (p. 62) the style becomes more rapid and jerky than before; the suave lyricism of some of the descriptions in sections II and III is replaced by a harsher tone. Nature vents her anger upon man like one of the Greek Furies. This is the first example of the 'epic' quality of Zola's writing. The only false note is perhaps the old man's protest to the Durance (p. 64), in which Zola exploits excessively the metaphor of nature seen as a woman.

To illustrate the basic theme of *La Terre*, one of the greatest of the Rougon-Macquart series, Hemmings quotes a passage not from the novel but from *Les Quatre Journées de Jean Gourdon*, adding: 'the vision which gives unity and colouring to the later masterpiece had been vouchsafed to Zola over twenty years before'.[1] Lapp points out that the battle scenes of *Jean Gourdon* 'anticipate rather closely the main lines of those in *La Débâcle*',[2] another of Zola's masterpieces. *Fécondité*, the reply of life to death, is the title and the subject of one of the last works of Zola. One wonders why *Les Quatre Journées de Jean Gourdon* has been so systematically overlooked.

[1] op. cit., p. 23.
[2] op. cit., p. 37.

LES TROIS GUERRES [1]

In this three-part story Zola has grouped his impressions of the three European wars which took place in his lifetime: the Crimean War, the War of Italian Independence, and the Franco-Prussian War. He describes his experiences and those of two brothers, his friends, whom he calls Louis and Julien. The real identity of the brothers has not been established; it is possible that Zola invented them to illustrate extreme attitudes to war.

In section I it is 1854; the narrator and his two friends are fourteen years old, and are at school in Aix. The narrator and Louis are stirred by the romantic, glamorous aspect of war: the bugles summoning the troops on parade, the rhythmic beat of hoofs, the sunlight flashing on the breastplates of the cavalry. It is a wonderful diversion from school, but the reactions of Julien are different. In section II it is 1859. In a frenzy of joy, Paris learns of the French victory at Magenta. We see the glorious, triumphant aspect of war. The safe return of Louis, who had left school to join the army, is some consolation for Julien. The tragedy of 1870 follows in section III. This time the war means defeat and disillusionment. Louis has been killed. Without a word, Julien, the confirmed pacifist, joins up; the 'nervous poet had become a butcher'.

Sir Edmund Gosse is rightly enthusiastic:

> Nothing on the subject has been written more picturesque, nor, in its simple way, more poignant, than the chain of reminiscences called *Three Wars* . . . The crisis under which the timid Julien, having learned the death of his spirited martial brother, is not broken down, but merely frozen into a cold soldiery passion, and spends the rest of the campaign . . . in watching behind hedges for Prussians to shoot or stab, is one of the most extraordinary and most interesting that a novelist has ever tried to describe. And the light that it throws on war as a disturber of the moral nature, as a dynamitic force exploding in the midst of an elaborately co-related society, is unsurpassed, even by the studies which Count Lyof Tolstoi has made in a similar direction.[2]

[1] From 1875 to 1880 Zola was a regular contributor to a St. Petersburg literary review, *Viestnik Evropy* (*Le Messager de l'Europe*). In this review first appeared, in Russian, *Les Trois Guerres*, June 1877 (republished in France in 1892); *L'Attaque du moulin*, July 1877 (republished in *La Réforme*, 15 August 1878, and then in *Les Soirées de Médan*, 1880); and *La Mort d'Olivier Bécaille*, March 1879 (republished in *Le Voltaire*, 30 April–5 May 1879).

[2] op. cit., pp. 29–30.

L'ATTAQUE DU MOULIN

The 1870 war was especially hated by Zola. He conducted a violent anti-war campaign in *La Cloche*, both before and at the beginning of hostilities, which but for the rapidity of events would have earned him a prison sentence for incitement to sedition. Yet he still felt it his duty to enlist, although as the son of a widow he was exempt. He was refused only because of his myopia.

The story, one of his most celebrated, is superbly written, and has the firm construction of a classical drama. It opens in the summer of 1870, in a sunny, rustic corner of Lorraine; the miller, Merlier, agrees to the betrothal of his daughter Françoise to Dominique, a fine young Belgian with an appropriately romantic air of mystery about him. The rumour that the Prussians are on the way barely ripples the serenity of the scene.

A month later, the mill is the centre of a bitter combat. The Prussians are laying siege to it, the French are desperately holding out within its walls. Dominique takes no part in the fighting until a bullet grazes the forehead of Françoise; then, in grim rage, he seizes a rifle and picks off one man after another. The Prussians finally burst into the mill, and their commander orders Dominique to be shot in two hours' time.

Dominique is promised a reprieve if he will guide the Prussians through the neighbouring woods, and is given until the morning to think it over. During the night, Françoise descends to his room by an iron ladder fastened to the outside wall of the mill, and outlines to him a plan of escape. He follows it, and a hoarse cry and the sound of a body falling suggest that he has put to good use the kitchen knife which Françoise had given him.

At dawn, the dead sentry and the knife are discovered. Françoise refuses to reveal anything; the Prussian commander gives her two hours to bring Dominique to the mill, otherwise her father will be shot in his place. Distraught, Françoise rushes into the woods to find him, with no clear idea of what she will do or say. She finds him, can only reassure him that he is safe, and rushes back to plead for a stay of her father's sentence. Dominique, who suspected something was wrong, arrives just in time to save Merlier.

Once more the alternative is put to Dominique; once more he refuses. Suddenly the cry goes up: 'Les Français! les Français!' But there is no fairy-story ending. The last act of the Prussians before they turn to defend themselves is to shoot Dominique. The mill is wrecked in the battle; Merlier is killed by a stray bullet; Françoise sits, her mind gone, between the bodies of her fiancé and her father; and the gallant French captain waves his sword and proclaims: 'Victoire! victoire!'

Like many of Zola's works, this story overflows any narrowly realistic formula. It contains historical facts and precise descriptions, but the characters are fictitious and the localities imaginary. Its appeal lies partly in the intensely dramatic presentation of individuals faced with agonizing decisions to make, and torn between conflicting sentiments like the main figures in a tragedy by Corneille, partly also in the swiftly moving action recounted in a vigorous but sober style. All the elements are so well balanced that the result is a most satisfying unity.

LE CHÔMAGE

As Zola advanced in the Rougon-Macquart series, he became more and more aware of the disastrous impact of the industrial revolution upon the working class, and more and more indignant against a capitalist *laissez-faire* policy that exploited the underdogs and left them to starve when they were sick or unemployed. One cannot but smile at the illogicality of a man who argues that human beings are nothing but soulless animals and who at the same time goes fearlessly to the defence of what he angrily calls 'le bétail humain'. *Le Chômage* is the first example of the great 'social' literature of Zola. It was part of an article that appeared in *Le Corsaire* on 22 December 1872, in which he fiercely contrasted the riotous living of the monarchist cliques and the misery of the unemployed.

The story is clear, too clear to need much commentary, but two aspects of it are particularly striking. One is the way in which the worker and his family—they are unnamed, they are spoken of as 'l'ouvrier', 'la femme', and this gives them a representative quality—are immediately isolated; meanwhile life continues around them, and is evoked in concrete details that emphasize their plight. The other is the sensitive, comprehensive portrayal of a young, half-starved child, trying awkwardly to adjust her dream-world to the world of suffering that she knows too well. Zola deliberately loads his picture, and also uses the dramatic present for more vivid effect, but underneath the harsh realism one senses his horror and pity.

LA MORT D'OLIVIER BÉCAILLE

The period around 1880 was a dark one in Zola's life, which had been 'for many years balanced between the sanguine and the melancholic', the latter, the vulnerable side, being fully known only to his intimate friends.[1] Wild superstitions had always plagued him, and he had always had a morbid fear of death. *La Mort d'Olivier Bécaille* is the expression of a neurosis of long standing, which was to be aggravated a year later, in 1880, by the death of Duranty and Flaubert, two of his closest friends, and of his mother, to whom he was obsessively attached. As many critics have pointed out, it is in this story that we meet for the first time that dread of annihilation which is a characteristic of Lazare in the later *Joie de vivre*, and coffins and burials loom large in Zola's works.[2]

La Mort d'Olivier Bécaille is constructed with the same care and concern for dramatic tension as *L'Attaque du moulin*.[3] Olivier has come to Paris with his wife Marguerite, to take a minor government job, and they are staying in a cheap hotel. Olivier has a cataleptic fit, followed by a paralysis that leaves unaffected only his sense of hearing and his ability to think. He can still see dimly, with the left eye only. He is presumed dead; he knows that he is alive, and since the story is written in the first person, the reader is immediately admitted into the intimacy of the narrator, and can watch events with him from the inside. In the first few hours of the paralysis, nothing seems irrevocable to Olivier; he has had similar seizures, and has recovered from them.

But the hours pass; somebody closes his eyes; a helpful neighbour, M. Simoneau, offers to report the death to the authorities and to arrange for the funeral; a doctor is summoned, takes a perfunctory look at Olivier, and pronounces him dead. He is now officially 'condemned' to be dead, and his body still refuses to obey his mind. Hope leaves him, and he loses consciousness.

The next morning his mind reawakens, in time for him to listen to all the grisly sounds attending his burial: the coffin being brought up the stairs, the nails being hammered in, the thud of earth falling on the lid of the coffin. His mind goes blank again.

[1] Hemmings, op. cit., p. 174. Cf. ch. IX, pp. 173–86, of Hemmings for a full discussion of this question.

[2] Cf. Nils-Olof Franzén, *Zola et 'La Joie de vivre'*, pp. 127, 191, 227 note 10.

[3] *L'Attaque du moulin* was adapted for the stage; *La Mort d'Olivier Bécaille*, in which one person narrates his mental agony, could not have been adapted without fundamental changes.

The next section describes the supreme horror of his regaining consciousness to find that he is under the earth. His escape, if wildly improbable, is highly dramatic.

The *dénouement* is unexpected. He is picked up, in a state of heavy fever, by a philanthropic doctor, and after a long illness decides to seek out his wife. But he has not been missed for long; she seems to be getting on well with Simoneau, who would be a better husband for her than he was; why not stay 'dead'? There is more resignation than resentment in the closing lines, and more than a little philosophy. A *rapprochement* with Poe and the early Gautier, from either of whom Zola may have derived inspiration for his story, readily suggests itself, but the chief source is probably Zola's own peculiar demons.

ANGELINE OU LA MAISON HANTÉE

During what he called his 'exile' in England (July 1898 to June 1899), Zola lived for some time near Weybridge in Surrey. When the weather was fine, he liked to cycle through the countryside, and one day came upon an abandoned house. The legend that surrounded it [1] inspired him, in October 1898, to write his own version, which he transposed to the setting of Médan.

It is a ghost story in three parts, with an unusual twist to it. The first part describes the old abandoned house, and relates the legend told to the narrator by an old woman. Angeline, the adored child of M. de G... by his first marriage, had been murdered by her jealous stepmother, and the body buried in a cellar. The father and stepmother are long since dead, but the disconsolate spirit of Angeline returns nightly, in response to the heartrending cries and sobs that echo through the house after dusk.

The narrator continues his investigations, but finds nothing. He visits an old friend, a poet, who gives him a totally different account: the daughter, wild with jealousy at seeing her real mother supplanted, had stabbed herself. The narrator is still unconvinced that he has found the solution.

[1] Recounted in detail in the Bernouard edition of the *Contes et nouvelles*, pp. 667–69. Cf. also C. Burns, 'Émile Zola: *Pages d'exil*', in *Nottingham French Studies*, vol. III, no. 1, May 1964, pp. 2–46. A version of the story appeared in *The Star* of London on 16 January 1899; the original French text is reproduced in the Bernouard edition.

Eighteen months later he sees the house again. It has been transformed, and is now animated and joyous. The new owner is a painter whom the narrator knows. Overcome with curiosity, he calls on the painter. He learns the real truth at last: Angeline did die in the house, but she died of a fever, and her father and stepmother, who adored her, took such a dislike to the house that they refused to live in it any more. But there is *still* an Angeline: not the pitiable ghost whose name the narrator heard called just as he entered the house, but the daughter of the painter, a child radiantly alive.

The last paragraph of the story could well serve as a fitting conclusion to the whole work of Zola: optimism and faith in life, at war with misery and death, and finally triumphing in the rhythmic language of a poet. We saw this in *Les Quatre Journées de Jean Gourdon*; it can be seen again in *Le Docteur Pascal* and *Fécondité*. The 'real' Zola is not the 'realist'. 'C'était un grand lyrique servi par un grand architecte. La poésie, chez lui, palpitait sous le carcan des doctrines.' [1] In a similar way, his creative power to a large extent liberates him from his obsessive fancies, so that what dominates in his work is not a morbid introspection but the surging vitality of a whole world of men and women.

[1] Armand Lanoux, preface to *Les Rougon-Macquart*, Bibliothèque de la Pléïade, vol. I, p. lv.

ÉMILE ZOLA: CONTES CHOISIS

LES QUATRE JOURNÉES DE JEAN GOURDON

Printemps

Ce jour-là, vers cinq heures du matin, le soleil entra avec une brusquerie joyeuse dans la petite chambre que j'occupais chez mon oncle Lazare, curé du hameau de Dourgues. Un large rayon jaune tomba sur mes paupières closes, et je m'éveillai dans de la lumière.

Ma chambre, blanchie à la chaux, avec ses murailles et ses meubles de bois blanc, avait une gaîté engageante. Je me mis à la fenêtre, et je regardai la Durance qui coulait, toute large, au milieu des verdures noires de la vallée. Et des souffles frais me caressaient le visage, les murmures de la rivière et des arbres semblaient m'appeler.

J'ouvris ma porte doucement. Il me fallait, pour sortir, traverser la chambre de mon oncle. J'avançai sur la pointe des pieds, craignant que le craquement de mes gros souliers ne réveillât le digne homme qui dormait encore, la face souriante. Et je tremblais d'entendre la cloche de l'église sonner *l'Angelus*. Mon oncle Lazare, depuis quelques jours, me suivait partout, d'un air triste et fâché. Il m'aurait peut-être empêché d'aller là-bas, sur le bord de la rivière, et de me cacher sous les saules de la rive, afin de guetter au passage Babet, la grande fille brune, qui était née pour moi avec le printemps nouveau.

Mais mon oncle dormait d'un profond sommeil. J'eus comme un remords de le tromper et de me sauver ainsi. Je m'arrêtai un instant à regarder son visage calme, que le repos rendait plus doux, je me souvins avec attendrissement du jour où il était venu me chercher dans la maison froide et déserte que quittait le convoi de ma mère. Depuis ce jour, que de tendresse, que de dévouement, que de sages paroles! Il m'avait donné sa science et sa bonté, toute son intelligence et tout son cœur.

Je fus un instant tenté de lui crier:

— Levez-vous, mon oncle Lazare! allons faire ensemble un bout de promenade, dans cette allée que vous aimez, au bord de la Durance. L'air frais et le jeune soleil vous réjouiront. Vous verrez au retour quel vaillant appétit!

Et Babet qui allait descendre à la rivière, et que je ne pourrais voir, vêtue de ses jupes claires du matin! Mon oncle serait là, il me faudrait baisser les yeux. Il devait faire si bon sous les saules, couché à plat ventre, dans l'herbe fine! Je sentis une langueur glisser en moi, et, lentement, à petits pas, retenant mon souffle, je gagnais la porte. Je descendis l'escalier, je me mis à courir comme un fou dans l'air tiède de la joyeuse matinée de mai.

Le ciel était tout blanc à l'horizon, avec des teintes bleues et roses d'une délicatesse exquise. Le soleil pâle semblait une grande lampe d'argent, dont les rayons pleuvaient dans la Durance en une averse de clartés. Et la rivière, large et molle, s'étendant avec paresse sur le sable rouge, allait d'un bout à l'autre de la vallée, pareille à la coulée d'un métal en fusion. Au couchant, une ligne de collines basses et dentelées faisait sur la pâleur du ciel de légères taches violettes.

Depuis dix ans, j'habitais ce coin perdu. Que de fois mon oncle Lazare m'avait attendu pour me donner ma leçon de latin! Le digne homme voulait faire de moi un savant. Moi, j'étais de l'autre côté de la Durance, je dénichais des pies, je faisais la découverte d'un coteau sur lequel je n'avais pas encore grimpé. Puis, au retour, c'était des remontrances: le latin était oublié, mon pauvre oncle me grondait d'avoir déchiré mes culottes, et il frissonnait en voyant parfois que la peau, par-dessous, se trouvait entamée. La vallée était à moi, bien à moi; je l'avais conquise avec mes jambes, j'en étais le vrai propriétaire, par droit d'amitié. Et ce bout de rivière, ces deux lieues de Durance, comme je les aimais, comme nous nous entendions bien ensemble! Je connaissais tous les caprices de ma chère rivière, ses colères, ses grâces, ses physionomies diverses à chaque heure de la journée.

Ce matin-là, lorsque j'arrivai au bord de l'eau, j'eus comme un éblouissement à la voir si douce et si blanche. Jamais elle n'avait eu un si gai visage. Je me glissai vivement sous les saules, dans une clairière où il y avait une grande nappe de soleil posée sur l'herbe noire. Là, je me couchai à plat ventre, l'oreille tendue, regardant entre les branches le sentier par lequel allait descendre Babet.

— Oh! comme l'oncle Lazare doit dormir! pensais-je.

Et je m'étendais de tout mon long sur la mousse. Le soleil pénétrait mon dos d'une chaleur tiède, tandis que ma poitrine, enfoncée dans l'herbe, était toute fraîche.

N'avez-vous jamais regardé dans l'herbe, de tout près, les yeux sur les brins de gazon? Moi, en attendant Babet, je fouillais indiscrètement du regard une touffe de gazon qui était vraiment tout un monde. Dans ma touffe de gazon, il y avait des rues, des carrefours, des places publiques, des villes entières. Au fond, je distinguais un grand tas d'ombre où les feuilles du dernier printemps pourrissaient de tristesse; puis les tiges légères se levaient, s'allongeaient, se courbaient avec mille élégances, et c'étaient des colonnades frêles, des églises, des forêts vierges. Je vis deux insectes maigres qui se promenaient au milieu de cette immensité; ils étaient certainement perdus, les pauvres enfants, car ils allaient de colonnade en colonnade, de rue en rue, d'une façon effarouchée et inquiète.

Ce fut juste à ce moment qu'en levant les yeux je vis tout au haut du sentier les jupes blanches de Babet se détachant sur la terre noire. Je reconnus sa robe d'indienne grise à petites fleurs bleues. Je m'enfonçai dans l'herbe davantage, j'entendis mon cœur qui battait contre la terre, qui me soulevait presque par légères secousses. Ma poitrine brûlait maintenant, je ne sentais plus les fraîcheurs de la rosée.

La jeune fille descendait lestement. Ses jupes, rasant le sol, avaient des balancements qui me ravissaient. Je la voyais de bas en haut, toute droite, dans sa grâce fiére et heureuse. Elle ne me savait point là, derriere les saules; elle marchait d'un pas libre, elle courait sans se soucier du vent qui soulevait un coin de sa robe. Je distinguais ses pieds, trottant vite, vite, et un morceau de ses bas blancs, qui était bien large comme la main, et qui me faisait rougir d'une façon douce et pénible.

Oh! alors, je ne vis plus rien, ni la Durance, ni les saules, ni la blancheur du ciel. Je me moquais bien de la vallée! Elle n'était plus ma bonne amie; ses joies, ses tristesses me laissaient parfaitement froid. Que m'importaient mes camarades, les cailloux et les arbres des coteaux! La rivière pouvait s'en aller tout d'un trait si elle voulait; ce n'est pas moi qui l'aurais regrettée.

Et le printemps, je ne me souciais nullement du printemps! Il aurait emporté le soleil qui me chauffait le dos, ses feuillages, ses rayons, toute sa matinée de mai, que je serais resté là, en extase, à regarder Babet, courant dans le sentier en balançant délicieusement ses jupes. Car Babet avait pris dans mon cœur la place de la vallée, Babet était le printemps. Jamais je ne lui avais parlé. Nous rougissions tous les deux, lorsque nous nous rencontrions dans l'église de mon oncle Lazare. J'aurais juré qu'elle me détestait.

Elle causa, ce jour-là, pendant quelques minutes avec les lavandières. Ses rires perlés arrivaient jusqu'à moi, mêlés à la grande voix de la Durance. Puis, elle se baissa pour prendre un peu d'eau dans le creux de sa main; mais la rive était haute, Babet, qui faillit glisser, se retint aux herbes.

Je ne sais quel frisson me glaça le sang. Je me levai brusquement, et, sans honte, sans rougeur, je courus auprès de la jeune fille. Elle me regarda, effarouchée; puis, elle se mit à sourire. Moi, je me penchai, au risque de tomber. Je réussis à remplir d'eau ma main droite, dont je serrais les doigts. Et je tendis à Babet cette coupe nouvelle, l'invitant à boire.

Les lavandières riaient. Babet, confuse, n'osait accepter, hésitait, tournait la tête à demi. Enfin, elle se décida, elle appuya délicatement les lèvres sur le bout de mes doigts; mais elle avait trop tardé, toute l'eau s'en était allée. Alors elle éclata de rire, elle redevint enfant, et je vis bien qu'elle se moquait de moi.

J'étais fort sot. Je me penchai de nouveau. Cette fois, je pris de l'eau dans mes deux mains, me hâtant de les porter aux lèvres de Babet. Elle but, et je sentis le baiser tiède de sa bouche, qui remonta le long de mes bras jusque dans ma poitrine, qu'il emplit de chaleur.

— Oh! que mon oncle doit dormir! me disais-je tout bas.

Comme je me disais cela, j'aperçus une ombre noire à côté de moi, et, m'étant tourné, j'aperçus mon oncle Lazare en personne, à quelques pas, nous regardant d'un air fâché, Babet et moi. Sa soutane paraissait toute blanche au soleil; il y avait dans ses yeux des reproches qui me donnèrent envie de pleurer.

Babet eut grand'peur. Elle devint rouge, elle se sauva en balbutiant:
— Merci, monsieur Jean, je vous remercie bien.

Moi, essuyant mes mains mouillées, je restai confus, immobile devant mon oncle Lazare.

Le digne homme, les bras pliés, ramenant un coin de sa soutane, regarda Babet qui remontait le sentier en courant, sans tourner la tête. Puis, lorsqu'elle eut disparu derrière les haies, il abaissa ses regards vers moi, et je vis sa bonne figure sourire tristement.

— Jean, me dit-il, viens dans la grande allée. Le déjeuner n'est pas prêt. Nous avons une demi-heure à perdre.

Il se mit à marcher de son pas un peu pesant, évitant les touffes d'herbe mouillées de rosée. Sa soutane, dont un bout traînait sur les graviers, avait de petits claquements sourds. Il tenait son bréviaire sous le bras; mais il avait oublié sa lecture du matin, et il s'avançait, la tête baissée, rêvant, ne parlant point.

Son silence m'accablait. Il était bavard d'ordinaire. A chaque pas, mon inquiétude croissait. Pour sûr, il m'avait vu donner à boire à Babet. Quel spectacle, Seigneur! La jeune fille, riant et rougissant, me baisait le bout des doigts, tandis que moi, me dressant sur les pieds, tendant les bras, je me penchais comme pour l'embrasser. C'est alors que mon action me parut épouvantable d'audace. Et toute ma timidité revint. Je me demandai comment j'avais pu oser me faire baiser les doigts d'une façon si douce.

Et mon oncle Lazare qui ne disait rien, qui marchait toujours à petits pas devant moi, sans avoir un seul regard pour les vieux arbres qu'il aimait! Il préparait sûrement un sermon. Il ne m'emmenait dans la grande allée qu'afin de me gronder à l'aise. Nous en aurions au moins pour une heure: le déjeuner serait froid, je ne pourrais revenir au bord de l'eau et rêver aux tièdes brûlures que les lèvres de Babet avaient laissées sur mes mains.

Nous étions dans la grande allée. Cette allée, large et courte, longeait la rivière; elle était faite de chênes énormes, aux troncs crevassés, qui allongeaient puissamment leurs hautes branches. L'herbe fine tendait un tapis sous les arbres, et le soleil, criblant les feuillages, brodait ce tapis de rosaces d'or. Au loin, tout autour, s'élargissaient des prairies d'un vert cru.

Mon oncle, sans se retourner, sans changer son pas, alla jusqu'au bout de l'allée. Là, il s'arrêta, et je me tins à son côté, comprenant que le moment terrible était venu.

La rivière tournait brusquement; un petit parapet faisait du bout de l'allée une sorte de terrasse. Cette voûte d'ombre donnait sur une vallée de lumière. La campagne s'agrandit largement devant nous, à plusieurs lieues. Le soleil montait dans le ciel, où les rayons d'argent du matin s'étaient changés en un ruissellement d'or; des clartés aveuglantes coulaient de l'horizon, le long des coteaux, s'étalant dans la plaine avec des lueurs d'incendie.

Après un instant de silence, mon oncle Lazare se tourna vers moi.

— Bon Dieu, le sermon! pensai-je.

Et je baissai la tête. D'un geste large, mon oncle me montra la vallée; puis, se redressant:

— Regarde, Jean, me dit-il d'une voix lente, voilà le printemps. La terre est en joie, mon garçon, et je t'ai amené ici, en face de cette plaine de lumière, pour te montrer les premiers sourires de la jeune saison. Vois quel éclat et quelle douceur! Il monte de la campagne des senteurs tièdes qui passent sur nos visages comme des souffles de vie.

Il se tut, paraissant rêver. J'avais relevé le front, étonné, respirant à l'aise. Mon oncle ne prêchait pas.

— C'est une belle matinée, reprit-il, une matinée de jeunesse. Tes dix-huit ans vivent largement, au milieu de ces verdures âgées au plus de dix-huit jours. Tout est splendeur et parfum, n'est-ce pas? la grande vallée te semble un lieu de délices: la rivière est là pour te donner sa fraîcheur, les arbres pour te prêter leur ombre, la campagne entière pour te parler de tendresse, le ciel lui-même pour embraser ces horizons que tu interroges avec espérance et désir. Le printemps appartient aux gamins de ton âge. C'est lui qui enseigne aux garçons la façon de faire boire les jeunes filles...

Je baissai la tête de nouveau. Décidément, mon oncle Lazare m'avait vu.

— Un vieux bonhomme comme moi, continua-t-il, sait malheureusement à quoi s'en tenir sur les grâces du printemps. Moi, mon pauvre Jean, j'aime la Durance parce qu'elle arrose ces prairies et qu'elle fait vivre toute la vallée; j'aime ces jeunes feuillages parce qu'ils m'annoncent les fruits de l'été et de l'automne; j'aime ce ciel parce qu'il est bon pour nous, parce que sa chaleur hâte la fécondité de la terre. Il me faudrait te dire cela un jour ou l'autre; je préfère te le dire aujourd'hui, à cette heure matinale. C'est le printemps lui-même qui te fait la leçon. La terre est un vaste atelier où l'on ne chôme jamais. Regarde cette fleur, à nos pieds: elle est un parfum pour toi; pour moi elle est un travail, elle accomplit sa tâche en produisant sa part de vie, une petite graine noire qui travaillera à son tour, le printemps prochain. Et, maintenant, interroge le vaste horizon. Toute cette joie n'est qu'un enfantement. Si la campagne sourit, c'est qu'elle recommence l'éternelle besogne. L'entends-tu à présent respirer fortement, active et pressée? Les feuilles soupirent, les fleurs se hâtent, le blé pousse sans relâche; toutes les plantes, toutes les herbes se disputent à qui grandira le plus vite; et l'eau vivante, la rivière vient aider le travail commun, et le jeune soleil qui monte dans le ciel a charge d'égayer l'éternelle besogne des travailleurs.

Mon oncle, à ce moment, me força à le regarder en face. Il acheva en ces termes:

— Jean, tu entends ce que te dit ton ami le printemps. Il est la jeunesse, mais il prépare l'âge mur; son clair sourire n'est que la gaîté du travail. L'été sera puissant, l'automne sera fécond, par le printemps qui chante à cette heure, en accomplissant bravement sa tâche.

Je restai fort sot. Je comprenais mon oncle Lazare. Il me faisait bel et bien un sermon, dans lequel il me disait que j'étais un paresseux et que le moment de travailler était venu.

Mon oncle paraissait aussi embarrassé que moi. Après avoir hésité pendant quelques instants:

— Jean, dit-il en balbutiant un peu, tu as eu tort de ne pas venir me tout conter... Puisque tu aimes Babet et que Babet t'aime...

— Babet m'aime! m'écriai-je.

Mon oncle eut un geste d'humeur.

— Eh! laisse-moi dire. Je n'ai pas besoin d'un nouvel aveu... Elle me l'a avoué elle-même.

— Elle vous a avoué cela, elle vous a avoué cela!

Et je sautai brusquement au cou de mon oncle Lazare.

— Oh! que c'est bon! ajoutai-je... Je ne lui avais jamais parlé, vrai... Elle vous a dit ça à confesse, n'est ce pas?... Jamais je n'aurais osé lui demander si elle m'aimait, moi, jamais je n'en aurais rien su... Oh! que je vous remercie!

Mon oncle Lazare était tout rouge. Il sentait qu'il venait de commettre une maladresse. Il avait pensé que je n'en étais pas à ma première rencontre avec la jeune fille, et voilà qu'il me donnait une certitude, lorsque je n'osais encore rêver une espérance. Il se taisait maintenant; c'était moi qui parlais avec volubilité.

— Je comprends tout, continuai-je. Vous avez raison, il faut que je travaille pour gagner Babet. Mais vous verrez comme je serai courageux... Ah! que vous êtes bon, mon oncle Lazare, et que vous parlez bien! J'entends ce que dit le printemps; je veux avoir, moi aussi, un été puissant, un automne fécond. On est bien ici, on voit toute la vallée; je suis jeune comme elle, je sens la jeunesse en moi qui demande à remplir sa tâche...

Mon oncle me calma.

— C'est bien, Jean, me dit-il. J'ai longtemps espéré faire de toi un prêtre, je ne t'avais donné ma science que dans ce but. Mais ce que j'ai vu ce matin au bord de l'eau, me force à renoncer définitivement à mon rêve le plus cher. C'est le ciel qui dispose de nous. Tu aimeras Dieu d'une autre façon... Tu ne peux rester maintenant dans ce village, où je veux que tu ne rentres que mûri par l'âge et le travail. J'ai choisi pour toi le métier de typographe; ton instruction te servira. Un de mes amis, un imprimeur de Grenoble, t'attend lundi prochain.

Une inquiétude me prit.

— Et je reviendrai épouser Babet? demandai-je.

Mon oncle eut un imperceptible sourire. Sans répondre directement:

— Le reste est à la volonté du ciel, répondit-il.

— Le ciel, c'est vous, et j'ai foi en votre bonté. Oh! mon oncle, faites que Babet ne m'oublie pas. Je vais travailler pour elle.

Alors mon oncle Lazare me montra de nouveau la vallée que la lumière inondait de plus en plus, chaude et dorée.

— Voilà l'espérance, me dit-il. Ne sois pas aussi vieux que moi, Jean. Oublie mon sermon, garde l'ignorance de cette campagne. Elle ne songe pas à l'automne; elle est toute à la joie de son sourire; elle travaille, insouciante et courageuse. Elle espère.

Et nous revînmes à la cure, marchant lentement dans l'herbe que le soleil avait séchée, causant avec des attendrissements de notre prochaine séparation. Le déjeuner était froid, comme je l'avais prévu; mais cela m'importait peu. J'avais des larmes dans les yeux, chaque fois que je regardais mon oncle Lazare. Et, au souvenir de Babet, mon cœur battait à m'étouffer.

Je ne me rappelle pas ce que je fis le reste du jour. J'allai, je crois, me coucher sous mes saules, au bord de l'eau. Mon oncle avait raison, la terre travaillait. En appliquant l'oreille contre le gazon, il me semblait entendre des bruits continus. Alors, je rêvais ma vie. Enfoncé dans l'herbe, jusqu'au soir, j'arrangeai une existence toute de travail, entre Babet et mon oncle Lazare. La jeunesse énergique de la terre avait pénétré dans ma poitrine, que j'appuyais fortement contre la mère commune, et je m'imaginais par instants être un des saules vigoureux qui vivaient autour de moi. Le soir, je ne pus dîner. Mon oncle comprit sans doute les pensées qui m'étouffaient, car il feignit de ne pas remarquer mon peu d'appétit. Dès qu'il me fut permis de me lever, je me hâtai de retourner respirer l'air libre du dehors.

Un vent frais montait de la rivière, dont j'entendais au loin les clapotements sourds. Une lumière veloutée tombait du ciel. La vallée s'étendait comme une mer d'ombre, sans rivage, douce et transparente. Il y avait des bruits vagues dans l'air, une sorte de frémissement passionné, comme un large battement d'ailes, qui aurait passé sur ma tête. Des odeurs poignantes montaient avec la fraîcheur de l'herbe.

J'étais sorti pour voir Babet; je savais que, tous les soirs, elle venait à la cure, et j'allai m'embusquer derrière une haie. Je n'avais plus mes timidités du matin; je trouvais tout naturel de l'attendre là, puisqu'elle m'aimait et que je devais lui annoncer mon départ.

Quand je vis ses jupes dans la nuit limpide, je m'avançai sans bruit. Puis, à voix basse:

— Babet, murmurai-je, Babet, je suis ici.

Elle ne me reconnut pas d'abord, elle eut un mouvement de terreur. Quand elle m'eut reconnu, elle parut plus effrayée encore, ce qui m'étonna profondément.

— C'est vous, monsieur Jean, me dit-elle. Que faites-vous là? que voulez-vous?

J'étais près d'elle, je lui pris la main.

— Vous m'aimez bien, n'est-ce pas?

— Moi! qui vous a dit cela?

— Mon oncle Lazare.

Elle demeura atterrée. Sa main se mit à trembler dans la mienne. Comme elle allait se sauver, je pris son autre main. Nous étions face à face, dans une sorte de creux que formait la haie, et je sentais le souffle haletant de Babet qui courait tout chaud sur mon visage. La fraîcheur, le silence frissonnant de la nuit, traînaient lentement autour de nous.

— Je ne sais pas, balbutia la jeune fille, je n'ai jamais dit cela... Monsieur le curé a mal entendu... Par grâce, laissez-moi, je suis pressée.

— Non, non, repris-je, je veux que vous sachiez que je pars demain, et que vous me promettiez de m'aimer toujours.

— Vous partez demain!

Oh! le doux cri, et que Babet y mit de tendresse! Il me semble encore entendre sa voix alarmée, pleine de désolation et d'amour.

— Vous voyez bien, criai-je à mon tour, que mon oncle Lazare a dit la vérité. D'ailleurs, il ne ment jamais. Vous m'aimez, vous m'aimez, Babet! Vos lèvres, ce matin, l'avaient confié tout bas à mes doigts.

Et je la fis asseoir au pied de la haie. Mes souvenirs m'ont gardé ma première causerie d'amour, dans sa religieuse innocence. Babet m'écouta comme une petite sœur. Elle n'avait plus peur, elle me confia l'histoire de son amour. Et ce furent des serments solennels, des aveux naïfs, des projets sans fin. Elle jura de n'épouser que moi, je jurai de mériter sa main à force de travail et de tendresse. Il y avait un grillon derrière la haie, qui accompagnait notre causerie de son chant d'espérance, et toute la vallée, chuchotant dans l'ombre, prenait plaisir à nous entendre causer si doucement.

Nous nous séparâmes en oubliant de nous embrasser.

Quand je rentrai dans ma petite chambre, il me sembla que je l'avais quittée depuis une année au moins. Cette journée si courte me paraissait éternelle de bonheur. C'était là ma journée de printemps, la plus tiède, la plus parfumée de ma vie, celle dont le souvenir est aujourd'hui la voix lointaine et émue de ma jeune saison.

Été

Ce jour-là, lorsque je m'éveillai, vers trois heures du matin, j'étais couché sur la terre dure, brisé de lassitude, le visage couvert de sueur. Une nuit de juillet, chaude et lourde, pesait sur ma poitrine.

Autour de moi, mes compagnons dormaient, enveloppés dans leurs capotes; ils tachaient de noir la terre grise, et la plaine obscure haletait; il me semblait entendre la respiration forte d'une multitude endormie. Des bruits perdus, des hennissements de chevaux, des chocs d'armes, s'élevaient dans le silence frissonnant.

Vers minuit, l'armée avait fait halte, et nous avions reçu l'ordre de nous coucher et de dormir. Depuis trois jours nous marchions, brûlés par le soleil, aveuglés par la poussière. L'ennemi était enfin devant nous, là-bas, sur les coteaux de l'horizon. Au petit jour, une bataille décisive devait être livrée.

Un accablement m'avait pris. Pendant trois heures, j'étais resté comme écrasé, sans souffle et sans rêves. L'excès même de la fatigue venait de me réveiller. Maintenant, couché sur le dos, les yeux grands ouverts, je songeais en regardant la nuit, je songeais à cette bataille, à cette tuerie que le soleil allait éclairer. Depuis plus de six ans, au premier coup de feu de chaque combat, je disais adieu à mes chères affections, à Babet, à l'oncle Lazare. Et voilà, un mois à peine avant ma libération, qu'il me fallait leur dire adieu encore, cette fois pour toujours peut-être!

Puis mes pensées s'adoucirent. Les yeux fermés, je vis Babet et mon oncle Lazare. Comme il y avait longtemps que je ne les avais embrassés! Je me souvenais du jour de notre séparation; mon oncle pleurait d'être pauvre, de me laisser partir ainsi, et Babet, le soir, m'avait juré de m'attendre, de ne jamais aimer que moi. J'avais dû tout quitter, mon patron de Grenoble, mes amis de Dourgues. De loin en loin, quelques lettres étaient venues me dire qu'on m'aimait toujours, que le bonheur m'attendait dans ma bien-aimée vallée. Et moi, j'allais me battre, j'allais me faire tuer.

Je me mis à rêver le retour. Je vis mon pauvre vieil oncle sur le seuil de la cure, tendant vers moi ses bras tremblants; et, derrière lui, il y avait Babet toute rouge, en larmes et souriante. Je me jetais dans leurs bras, je les embrassais en balbutiant...

Brusquement, un roulement de tambour me ramena à la terrible réalité. L'aube était venue, la plaine grise s'élargissait dans les vapeurs du matin. Le sol s'anima, des formes vagues surgirent de toutes parts. Un bruit grandissant emplit l'air; c'étaient des appels de clairon, des galops de chevaux, des roulements d'artillerie, des cris de commandement. La guerre se dressait, menaçante, au milieu de mon rêve de tendresse.

Je me levai péniblement; il me sembla que mes os étaient rompus et que ma tête allait se fendre. Je réunis mes hommes à la hâte; car je dois vous dire que j'avais atteint le grade de sergent. Nous reçûmes bientôt l'ordre de nous porter sur la gauche et d'occuper un petit coteau qui dominait la plaine.

Comme nous étions près de partir, le vaguemestre passa en courant, et cria:

— Une lettre pour le sergent Gourdon!

Et il me remit une lettre froissée, maculée, qui traînait depuis huit jours peut-être dans les sacs de cuir de l'administration des postes. Je n'eus que le temps de reconnaître l'écriture de mon oncle Lazare.

— En avant, marche! cria le commandant.

Il me fallut marcher. Pendant quelques secondes, je tins ma pauvre lettre à la main, la dévorant des yeux; elle me brûlait les doigts, j'aurais donné tout au monde pour m'asseoir, pour pleurer à mon aise en la lisant. Je dus me décider à la glisser sous ma tunique, contre mon cœur.

Jamais je n'avais éprouvé une angoisse pareille. Je me disais, pour me consoler, ce que mon oncle m'avait répété souvent: j'étais à l'été de ma vie, à l'heure de la lutte ardente, et il me fallait remplir bravement mon devoir, si je voulais avoir un automne paisible et fécond. Mais ces raisonnements m'exaspéraient davantage; cette lettre, qui venait me parler de bonheur, brûlait mon cœur révolté contre la folie de la guerre. Et je ne pouvais même la lire! J'allais mourir peut-être sans savoir ce qu'elle contenait, sans entendre une dernière fois les bonnes paroles de mon oncle Lazare.

Nous étions arrivés sur le coteau. Nous devions attendre là l'ordre de nous porter en avant. Le champ de bataille se trouvait merveilleusement choisi pour s'égorger à l'aise. L'immense plaine s'étendait toute nue, à plusieurs lieues, sans un arbre, sans une maison. Des haies, des broussailles faisaient de maigres taches sur la blancheur du sol. Jamais je n'ai revu une pareille campagne, une mer de poussière, un sol crayeux, crevé çà et là, montrant ses entrailles brunes. Et jamais non plus je n'ai revu un ciel d'une pureté si ardente, une si belle et si chaude journée de juillet; à huit heures, l'air embrasé brûlait déjà nos visages. O la splendide matinée, et quelle plaine stérile pour tuer et mourir!

Depuis longtemps la fusillade éclatait avec des bruits secs et irréguliers, appuyée de la voix grave du canon. Les ennemis, des Autrichiens aux vêtements blafards, avaient quitté les hauteurs, et la plaine était sillonnée de longues files d'hommes qui me paraissaient gros comme des insectes. On eût dit une fourmilière en insurrection. Des nuages de fumée traînaient sur le champ de bataille. Par instants, lorsque ces nuages se déchiraient, j'apercevais des soldats qui fuyaient, pris d'une terreur panique. Il y avait ainsi des courants d'effroi qui emportaient les hommes, des élans de honte et de courage qui les ramenaient sous les balles.

Je ne pouvais entendre les cris des blessés, ni voir couler le sang. Je distinguais seulement, pareils à des points noirs, les morts que les bataillons laissaient derrière eux. Je me mis à regarder avec curiosité les mouvements des troupes, m'irritant contre la fumée qui me cachait une bonne moitié du spectacle, trouvant une sorte de plaisir égoïste à me savoir en sûreté, tandis que les autres mouraient.

Vers neuf heures, on nous fit avancer. Nous descendîmes le coteau au pas gymnastique, nous dirigeant vers le centre qui pliait. Le bruit régulier de nos pas me parut funèbre. Les plus braves d'entre nous haletaient, pâles, les traits tirés.

Je me suis promis de dire la vérité. Aux premiers sifflements des balles, le bataillon s'arrêta brusquement, tenté de fuir.

— En avant, en avant! criaient les chefs.

Mais nous étions cloués au sol, baissant la tête, lorsqu'une balle sifflait à nos oreilles. Ce mouvement est instinctif; si la honte ne m'avait retenu, je me serais jeté à plat ventre dans la poussière.

Devant nous, il y avait un grand rideau de fumée que nous n'osions franchir. Des éclairs rouges traversaient cette fumée. Et, frémissants, nous n'avancions toujours pas. Mais les balles venaient jusqu'à nous; des soldats tombaient avec un hurlement. Les chefs criaient plus haut:

— En avant, en avant!

Les rangs de derrière, qu'ils poussaient, nous forçaient à marcher. Alors, fermant les yeux, nous prîmes un nouvel élan, nous entrâmes dans la fumée.

Une rage furieuse s'était emparée de nous. Lorsque retentit le cri de: Halte! nous eûmes peine à nous arrêter. Dès qu'on reste immobile, la peur revient, on a des envies de se sauver. La fusillade commença. Nous tirions devant nous, sans viser, trouvant quelque soulagement à envoyer des balles dans la fumée. Je me rappelle que je lâchais mes coups de feu machinalement, les lèvres serrées, les yeux agrandis; je n'avais plus peur, car, à vrai dire, je ne savais plus si j'existais. La seule idée qui me battait dans la tête, était que je tirerais jusqu'à ce que tout fût fini. Mon compagnon de gauche reçut une balle en plein visage et il tomba sur moi; je le repoussai brutalement, essuyant ma joue qu'il avait inondée de sang. Et je me remis à tirer.

Je me souviens encore d'avoir vu notre colonel, M. de Montrevert, ferme et droit sur son cheval, regardant tranquillement du côté de l'ennemi. Cet homme me parut gigantesque. Il n'avait pas de fusil pour se distraire, et sa poitrine s'étalait toute large au-dessus de nous. De temps à autre, il abaissait ses regards, il nous criait d'une voix sèche:

— Serrez les rangs, serrez les rangs!

Nous serrions les rangs comme des moutons, marchant sur les morts, hébétés, tirant toujours. Jusque-là, l'ennemi ne nous avait envoyé que des balles; un éclat sourd se fit entendre, un boulet nous emporta cinq hommes. Une batterie, qui devait être en face de nous et que nous ne pouvions voir, venait d'ouvrir son feu. Les boulets frappaient en plein tas, presqu'au même endroit, faisant une trouée sanglante que nous bouchions sans cesse, avec un entêtement de brutes farouches.

— Serrez les rangs, serrez les rangs! répétait froidement le colonel.

Nous donnions de la chair humaine au canon. A chaque soldat qui tombait, je faisais un pas de plus vers la mort, je me rapprochais de l'endroit où les boulets ronflaient sourdement, écrasant les hommes dont le tour était venu de mourir. Les cadavres s'amoncelaient à cette place, et bientôt les boulets ne frappèrent plus que dans un tas de chairs meurtries; des lambeaux de membres volaient, à chaque nouveau coup de canon. Nous ne pouvions plus serrer les rangs.

Les soldats hurlaient, les chefs eux-mêmes furent entraînés.

— A la baïonnette, à la baïonnette!

Et, sous une pluie de balles, le bataillon courut avec rage au-devant des boulets. Le rideau de fumée se déchira; sur un petit monticule, nous aperçûmes la batterie ennemie rouge de flammes, qui faisait feu sur nous de toutes les gueules de ses pièces. Mais l'élan était pris, les boulets n'arrêtaient que les morts.

Je courais à côté du colonel Montrevert, dont le cheval venait d'être tué, et qui se battait comme un simple soldat. Brusquement, je fus foudroyé; il me sembla que ma poitrine s'ouvrait et que mon épaule était emportée. Un vent terrible me passa sur la face.

Et je tombai. Le colonel s'abattit à mon côté. Je me sentis mourir, je songeai à mes chères affections, je m'évanouis en cherchant d'une main défaillante la lettre de mon oncle Lazare.

Lorsque je revins à moi, j'étais couché sur le flanc, dans la poussière. Une stupeur profonde m'anéantissait. Les yeux grands ouverts, je regardais devant moi, sans rien voir; il me semblait que je n'avais plus de membres et que mon cerveau était vide. Je ne souffrais pas, car la vie paraissait s'en être allée de ma chair.

Un soleil lourd, implacable, tombait sur ma face comme du plomb fondu. Je ne le sentais pas. Peu à peu la vie me revint; mes membres devinrent plus légers, mon épaule seule resta broyée par un poids énorme. Alors, avec l'instinct d'une bête blessée, je voulus me mettre sur mon séant. Je poussai un cri de douleur et je retombai sur le sol.

Mais je vivais maintenant, je voyais, je comprenais. La plaine s'élargissait nue et déserte, toute blanche au grand soleil. Elle étalait sa désolation sous la sérénité ardente du ciel; des tas de cadavres dormaient dans la chaleur, et les arbres abattus semblaient d'autres morts qui séchaient. Il n'y avait pas un souffle d'air. Un silence effrayant sortait des tas de cadavres; puis, par instants, des plaintes sourdes qui traversaient ce silence lui donnaient un long frisson. A l'horizon, sur les coteaux, de minces nuages de fumée traînaient, tachaient seuls de gris le bleu éclatant du ciel. La tuerie continuait sur les hauteurs.

Je pensai que nous étions vainqueurs, je goûtai un plaisir égoïste à me dire que je pourrais mourir en paix dans cette plaine déserte. Autour de moi, la terre était noire. En levant la tête, je vis, à quelques mètres, la batterie ennemie sur laquelle nous nous étions rués. La lutte avait dû être horrible; le monticule était couvert de corps hachés et défigurés; le sang avait coulé si abondamment, que la poussière semblait un large tapis rouge. Au-dessus des cadavres, les canons allongeaient leurs gueules sombres. Je frissonnai, en écoutant le silence de ces canons.

Alors, doucement, avec des précautions infinies, je parvins à me mettre sur le ventre. J'appuyai ma tête sur une grosse pierre tout éclaboussée, et je tirai de ma poitrine la lettre de mon oncle Lazare. Je la posai devant mes yeux; mes larmes m'empêchaient de la lire.

Et le soleil me brûlait le dos, des odeurs âcres de sang me prenaient à la gorge. Je sentais autour de moi la plaine navrante, j'étais comme roidi par la rigidité des morts. C'était dans le silence chaud et nauséabond du meurtre que mon pauvre cœur pleurait.

L'oncle Lazare m'écrivait:

«Mon cher enfant,

«J'apprends que la guerre est déclarée, et j'espère encore que tu recevras ton congé avant l'ouverture de la campagne. Chaque matin, je prie Dieu de t'épargner de nouveaux dangers; il m'exaucera, il voudra bien que tu puisses un jour me fermer les yeux.

«Ah! mon pauvre Jean, je deviens vieux, j'ai grand besoin de ton bras. Depuis ton départ, je ne sens plus à mon côté ta jeunesse qui me rendait mes vingt ans. Te souviens-tu de nos promenades du matin dans l'allée de chênes? Maintenant, je n'ose plus aller sous ces arbres; je suis seul, j'ai peur. La Durance pleure. Viens vite me consoler, apaiser mes inquiétudes...»

Les sanglots me suffoquaient; je ne pus continuer. A ce moment, un cri déchirant se fit entendre à quelques pas de moi; je vis un soldat se dresser brusquement, la face contractée; il leva les bras avec angoisse, et s'abattit sur le sol, où il se tordit dans des convulsions effroyables; puis, il ne bougea plus.

«J'ai mis mon espoir en Dieu, continuait mon oncle, il te ramènera à Dourgues sain et sauf, nous recommencerons notre douce vie. Laisse-moi rêver tout haut, te dire mes projets d'avenir.

«Tu n'iras plus à Grenoble, tu resteras près de moi; je ferai de mon enfant un fils de la terre, un paysan qui vivra gaîment au milieu des travaux de la campagne.

«Et moi, je me retirerai dans ta ferme. Mes mains tremblantes ne pourront bientôt plus tenir l'hostie. Je ne demande au ciel que deux années d'une pareille existence. Ce sera la récompense des quelques bonnes œuvres que j'ai pu faire. Alors tu me conduiras parfois dans les sentiers de notre chère vallée, où chaque rocher, chaque haie me rappellera ta jeunesse que j'ai tant aimée...»

Je dus m'arrêter de nouveau. J'éprouvai à l'épaule une douleur si vive, que je faillis m'évanouir une seconde fois. Une inquiétude terrible venait de me prendre; il me semblait que le bruit de la fusillade se rapprochait, et je me disais avec terreur que notre armée reculait peut-être, que dans sa fuite elle allait descendre me passer sur le corps. Mais je ne voyais toujours que les minces nuages de fumée qui traînaient sur les coteaux.

Mon oncle Lazare ajoutait:

«Et nous serons trois à nous aimer. Ah! mon bien-aimé Jean, comme tu as eu raison de lui donner à boire, un matin, au bord de la Durance. Moi, je redoutais Babet, j'étais de méchante humeur, et maintenant je suis jaloux, car je vois bien que jamais je ne pourrais t'aimer autant qu'elle t'aime. «Dites-lui, me répétait-elle hier en rougissant, que s'il se fait tuer, j'irai me jeter dans la rivière, à l'endroit où il m'a donné à boire.»

«Pour l'amour de Dieu! ménage ta vie. Il est des choses que je ne puis comprendre, mais je sens bien que le bonheur t'attend ici. J'appelle déjà Babet ma fille; je la vois à ton bras, dans l'église, lorsque je bénirai votre union. Je veux que ce soit là ma dernière messe.

«Babet est une grande et belle fille maintenant. Elle t'aidera dans tes travaux...»

Le bruit de la fusillade s'était éloigné. Je pleurais des larmes douces. Il y avait des plaintes sourdes parmi les soldats qui râlaient entre les roues des canons. J'en apercevais un qui faisait des efforts pour se débarrasser d'un de ses camarades, blessé comme lui, dont le corps lui écrasait la poitrine; et, comme ce blessé se débattait en se plaignant, le soldat le repoussa brutalement, le fit rouler sur la pente du monticule, où le misérable hurla de douleur. A ce gémissement, une rumeur monta de l'entassement des cadavres. Le soleil, qui baissait, avait des rayons d'un blond fauve. Le bleu du ciel était plus doux.

J'achevai la lettre de mon oncle Lazare.

«Je voulais simplement, disait-il encore, te donner de nos nouvelles, te supplier de venir au plus tôt nous rendre heureux. Et voilà que je pleure, que je bavarde comme un vieil enfant. Espère, mon pauvre Jean, je prie, et Dieu est bon.

«Réponds-moi vite, fixe-moi, s'il est possible, l'époque de ton retour. Nous comptons les semaines, Babet et moi. A bientôt, bonne espérance.»

L'époque de mon retour!... Je baisai la lettre en sanglotant, je crus un instant que j'embrassais Babet et mon oncle. Jamais, sans doute, je ne les reverrais. J'allais mourir comme un chien, dans la poussière, sous le soleil de plomb. Et c'était dans cette plaine désolée, au milieu de râles d'agonie, que mes chères affections me disaient adieu. Un silence bourdonnant m'emplissait les oreilles; je regardais la terre blanche tachée de sang, qui s'étendait déserte jusqu'aux lignes grises de l'horizon. Je répétais: «Il faut mourir.» Alors, je fermai les yeux, j'évoquai le souvenir de Babet et de mon oncle Lazare.

Je ne sais combien je passai de temps dans une sorte de somnolence douloureuse. Mon cœur souffrait autant que ma chair. Des larmes coulaient sur mes joues, lentes et chaudes. Au milieu des cauchemars que me donnait la fièvre, j'entendais un râle pareil à la plainte continue d'un enfant qui souffre. Par instants, je m'éveillais, je regardais le ciel avec étonnement.

Je compris enfin que c'était M. de Montrevert, gisant à quelques pas, qui râlait ainsi. Je l'avais cru mort. Il était couché la face contre terre, les bras écartés. Cet homme avait été bon pour moi; je me dis que je ne pouvais le laisser mourir ainsi, le visage dans la terre, et je me mis à ramper doucement vers lui.

Deux cadavres nous séparaient. J'eus un instant la pensée de passer sur le ventre de ces morts pour abréger le chemin; car, à chaque mouvement, mon épaule me faisait horriblement souffrir. Mais je n'osai pas. J'avançai sur les genoux, m'aidant d'une main. Quand je fus arrivé auprès du colonel, je poussai un soupir de soulagement; il me sembla que j'étais moins seul; nous allions mourir ensemble, et cette mort partagée ne m'épouvantait plus.

Je voulais qu'il vît le soleil, je le retournai le plus délicatement possible. Quand les rayons tombèrent sur son visage, il souffla fortement; il ouvrit les yeux. Penché sur lui, j'essayai de lui sourire. Il abaissa de nouveau les paupières; à ses lèvres qui tremblaient, je compris qu'il avait conscience de ses souffrances.

— C'est vous, Gourdon, me dit-il enfin d'une voix faible; la bataille est-elle gagnée?

— Je le crois, colonel, lui répondis-je.

Il y eut un instant de silence. Puis, ouvrant les yeux et me regardant:

— Où êtes-vous blessé? me demanda-t-il.

— A l'épaule... Et vous, colonel?

— Je dois avoir le coude broyé... Je me rappelle, c'est le même boulet qui nous a arrangés comme cela, mon garçon.

Il fit un effort pour se remettre sur son séant.

— Ah! çà, dit-il avec une gaîté brusque, nous n'allons pas coucher ici?

Vous ne sauriez croire combien cette bonhomie courageuse me donna des forces et de l'espoir. Je me sentais tout autre depuis que nous étions deux à lutter contre la mort.

— Attendez, m'écriai-je, je vais bander votre bras avec mon mouchoir, et nous tâcherons de nous porter l'un l'autre jusqu'à la prochaine ambulance.

— C'est ça, mon garçon... Ne serrez pas trop fort... Maintenant, prenons-nous chacun par notre bonne main et essayons de nous lever.

Nous nous levâmes en chancelant. Nous avions perdu beaucoup de sang; nos têtes tournaient, nos jambes se dérobaient. On nous aurait pris pour des hommes ivres, trébuchant, nous soutenant, nous poussant, faisant des détours pour éviter les morts. Le soleil se couchait dans une lueur rose, et nos ombres gigantesques dansaient bizarrement sur le champ de bataille. C'était la fin d'un beau jour.

Le colonel plaisantait; des frissons crispaient ses lèvres, ses rires ressemblaient à des sanglots. Je sentais bien que nous allions tomber dans un coin pour ne plus nous relever. Par instants, des vertiges nous prenaient, nous étions obligés de nous arrêter, fermant les yeux. Au fond de la plaine, les ambulances faisaient de petites taches grises sur la terre sombre.

Nous heurtâmes un gros caillou, et nous fûmes renversés l'un sur l'autre. Le colonel jura comme un païen. Nous essayâmes de marcher à quatre pattes, en nous accrochant aux ronces. Nous fîmes ainsi, sur les genoux, une centaine de mètres. Mais nos genoux saignaient.

— J'en ai assez, dit le colonel en se couchant: on viendra me ramasser si l'on veut. Dormons.

J'eus encore la force de me dresser à demi et de crier de tout le souffle qui me restait. Des hommes passaient au loin, ramassant les blessés; ils accoururent, ils nous couchèrent côte à côte sur une civière.

— Mon camarade, me dit le colonel pendant le trajet, la mort ne veut pas de nous. Je vous dois la vie, je m'acquitterai de ma dette, le jour où vous aurez besoin de moi... Donnez-moi votre main.

Je mis ma main dans la sienne, et c'est ainsi que nous arrivâmes aux ambulances. On avait allumé des torches; les chirurgiens coupaient et sciaient, au milieu de hurlements épouvantables; une odeur fade s'exhalait des linges ensanglantés, tandis que les torches jetaient dans les cuvettes des moires d'un rose sombre.

Le colonel supporta courageusement l'amputation de son bras; je vis seulement ses lèvres blanchir et ses yeux se voiler. Quand mon tour fut venu, un chirurgien me visita l'épaule.

— C'est un boulet qui vous a fait cela, dit-il, deux centimètres plus bas, et vous aviez l'épaule emportée. La chair seule a été meurtrie.

Et, comme je demandais à l'aide qui me pansait si ma blessure était grave:

— Grave! me répondit-il en riant, vous en avez pour trois semaines à garder le lit et à vous refaire du sang.

Je me tournai contre le mur, ne voulant pas laisser voir mes larmes. Et j'aperçus des yeux du cœur Babet et mon oncle Lazare qui me tendaient les bras. J'en avais fini avec les luttes sanglantes de ma journée d'été.

Automne

Il y avait près de quinze ans que j'avais épousé Babet dans la petite église de mon oncle Lazare. Nous avions demandé le bonheur à notre chère vallée. Je m'étais fait cultivateur; la Durance, ma première amante, était maintenant pour moi une bonne mère qui semblait se plaire à rendre mes champs gras et fertiles. Peu à peu, appliquant les méthodes nouvelles de culture, je devenais un des plus riches propriétaires du pays.

A la mort des parents de ma femme, nous avions acheté l'allée de chênes et les prairies qui s'étendaient le long de la rivière. J'avais fait bâtir sur ce terrain une habitation modeste qu'il nous fallut bientôt agrandir; chaque année, je trouvais moyen d'arrondir nos terres de quelque champ voisin, et nos greniers étaient trop étroits pour nos moissons.

Ces quinze premières années furent simples et heureuses. Elles s'écoulèrent dans une joie sereine, et elles n'ont laissé en moi que le souvenir vague d'un bonheur calme et continu. Mon oncle Lazare avait réalisé son rêve en se retirant chez nous; son grand âge ne lui permettait même plus de lire chaque matin son bréviaire; il regrettait parfois sa chère église, il se consolait en allant rendre visite au jeune vicaire qui l'avait remplacé. Dès le lever du soleil, il descendait de la petite chambre qu'il occupait, et souvent il m'accompagnait aux champs, se plaisant au grand air, retrouvant une jeunesse au milieu des senteurs fortes de la campagne.

Une seule tristesse nous faisait soupirer parfois. Dans la fécondité qui nous entourait, Babet restait stérile. Bien que nous fussions trois à nous aimer, certains jours, nous nous trouvions trop seuls: nous aurions voulu avoir dans nos jambes une tête blonde qui nous eût tourmentés et caressés.

L'oncle Lazare avait une peur terrible de mourir avant d'être grand-oncle. Il était redevenu enfant, il se désolait de ce que Babet ne lui donnait pas un camarade qui aurait joué avec lui. Le jour où ma femme nous confia en hésitant que nous allions sans doute être bientôt quatre, je vis le cher oncle tout pâle, se retenant pour ne pas pleurer. Il nous embrassa, songeant déjà au baptême, parlant de l'enfant comme s'il était âgé de trois ou quatre ans.

Et les mois passèrent dans une tendresse recueillie. Nous parlions bas entre nous, attendant quelqu'un. Je n'aimais plus Babet, je l'adorais à mains jointes, je l'adorais pour deux, pour elle et pour le petit.

Le grand jour approchait. J'avais fait venir de Grenoble une sage-femme qui ne quittait plus la ferme. L'oncle était dans des transes horribles; il n'entendait rien à de pareilles aventures, il alla jusqu'à me dire qu'il avait eu tort de se faire prêtre et qu'il regrettait beaucoup de n'être pas médecin.

Un matin de septembre, vers six heures, j'entrai dans la chambre de ma chère Babet qui sommeillait encore. Son visage souriant reposait paisiblement sur la toile blanche de l'oreiller. Je me penchai, retenant mon souffle. Le ciel me comblait de ses biens. Je songeai tout à coup à cette journée d'été où je râlais dans la poussière, et je sentis en même temps, autour de moi, le bien-être du travail, la paix du bonheur. Ma brave femme dormait, toute rose, au milieu de son grand lit; tandis que la chambre entière me rappelait nos quinze années de tendresse.

J'embrassai doucement Babet sur les lèvres. Elle ouvrit les yeux, me sourit, sans parler. J'avais des envies folles de la prendre dans mes bras, de la serrer contre mon cœur; mais, depuis quelque temps, j'osais à peine lui presser la main, tant elle me semblait fragile et sacrée.

Je m'assis sur le bord de la couche, et, à voix basse:

— Est-ce pour aujourd'hui? lui demandai-je.

— Non, je ne crois pas, me répondit-elle... Je rêvais que j'avais un garçon: il était déjà très grand et portait d'adorables petites moustaches noires... L'oncle Lazare me disait hier qu'il l'avait aussi vu en rêve.

Je commis une grosse maladresse.

— Je connais l'enfant mieux que vous, repris-je. Je le vois chaque nuit. C'est une fille...

Et comme Babet se tournait vers la muraille, près de pleurer, je compris ma bêtise, je me hâtai d'ajouter:

— Quand je dis une fille... je ne suis pas bien sûr. Je vois l'enfant tout petit, avec une longue robe blanche... C'est certainement un garçon.

Babet m'embrassa pour cette bonne parole.

— Va surveiller les vendanges, reprit-elle. Je me sens calme, ce matin.

— Tu me ferais prévenir s'il arrivait quelque chose?

— Oui, oui... Je suis très lasse. Je vais encore dormir. Tu ne m'en veux pas de ma paresse?...

Et Babet ferma les yeux, languissante et attendrie. Je restai penché sur elle, recevant au visage le souffle tiède de ses lèvres. Elle s'endormit peu à peu, sans cesser de sourire. Alors, je dégageai ma main de la sienne avec des précautions infinies; je travaillai pendant cinq minutes pour mener à bien cette besogne délicate. Puis, je posai sur son front un baiser qu'elle ne sentit pas, et je me retirai, palpitant, le cœur débordant d'amour.

Je trouvai, en bas, dans la cour, mon oncle Lazare qui regardait avec inquiétude la fenêtre de la chambre de Babet. Dès qu'il m'aperçut:

— Eh bien! me demanda-t-il, est-ce pour aujourd'hui?

Depuis un mois il m'adressait régulièrement cette question chaque matin.

— Il paraît que non, lui répondis-je. Venez-vous avec moi voir vendanger?

Il alla chercher sa canne, et nous descendîmes l'allée de chênes. Lorsque nous fûmes au bout de l'allée, sur cette terrasse qui dominait la Durance, nous nous arrêtâmes tous deux, regardant la vallée.

De petits nuages blancs frissonnaient dans le ciel pâle. Le soleil avait des rayons blonds qui jetaient comme une poussière d'or sur la campagne, dont la nappe jaune s'étendait toute mûre, n'ayant plus les lumières ni les ombres énergiques de l'été. Les feuillages doraient, par larges plaques, la terre noire. La rivière coulait plus lente, lasse d'avoir fécondé les champs pendant une saison. Et la vallée restait calme et forte. Elle portait déjà les premières rides de l'hiver, mais son flanc gardait la chaleur de ses derniers enfantements, étalant ses formes amples, dépouillée des herbes folles du printemps, plus orgueilleusement belle de cette seconde jeunesse de la femme qui a fait œuvre de vie.

Mon oncle Lazare resta silencieux; puis, se tournant vers moi:

— Te souviens-tu? me dit-il, il y a plus de vingt ans, je t'ai conduit ici par une jeune matinée de mai. Ce jour-là, je t'ai montré la vallée prise d'une activité folle, travaillant aux fruits de l'automne. Regarde: la vallée vient encore une fois d'achever son travail.

— Je me souviens, cher oncle, répondis-je. J'avais grand'peur ce jour-là; mais vous étiez bon, et votre leçon fut convaincante. Je vous dois toutes mes joies.

— Oui, tu en es à l'automne, tu as travaillé et tu récoltes. L'homme, mon enfant, a été créé à l'image de la terre. Et, comme la mère commune, nous sommes éternels: les feuilles vertes renaissent chaque année des feuilles sèches; moi, je renais en toi, et toi, tu renaîtras dans tes enfants. Je te dis cela pour que la vieillesse ne t'effraye pas, pour que tu saches mourir en paix, comme meurt cette verdure, qui repoussera de ses propres germes au printemps prochain.

J'écoutais mon oncle, et je songeais à Babet, qui dormait dans son grand lit de toile blanche. La chère créature allait enfanter, à l'image de ce sol puissant qui nous avait donné la fortune. Elle aussi en était à l'automne: elle avait le sourire fort, l'ampleur sereine de la vallée. Je croyais la voir sous le soleil blond, lasse et heureuse, trouvant une généreuse volupté à être mère. Et je ne savais plus si mon oncle Lazare me parlait de ma chère vallée ou de ma chère Babet.

Nous montâmes lentement sur les coteaux. En bas, le long de la Durance, étaient les prairies, de larges tapis d'un vert cru; puis venaient des terres jaunes que, çà et là, les oliviers grisâtres et les maigres amandiers coupaient en allées largement espacées; puis, tout en haut, se trouvaient les vignes, des souches puissantes dont les ceps traînaient sur le sol.

Dans le midi de la France, on traite la vigne en rude commère, et non en délicate demoiselle, comme dans le nord. Elle pousse un peu à l'aventure, selon le bon plaisir de la pluie et du soleil. Les souches, alignées sur deux rangs, en longues files, jettent autour d'elles des jets d'une verdure sombre. Dans les intervalles, on sème du blé ou de l'avoine. Un vignoble ressemble à une immense pièce d'étoffe rayée, faite de la bande verte des pampres et du ruban jaune des chaumes.

Des hommes et des femmes, accroupis dans les vignes, coupaient les grappes de raisin, qu'ils jetaient ensuite au fond de grands paniers. Nous marchions lentement, mon oncle et moi, le long des allées de chaume. Lorsque nous passions, les vendangeurs tournaient la tête et nous saluaient. Mon oncle s'arrêtait parfois pour causer avec les plus vieux des travailleurs.

— Hé! père André, disait-il, le raisin est-il bien mûr, le vin sera-t-il bon, cette année?

Et les paysans, levant leurs bras nus, montraient au soleil de longues grappes d'un noir d'encre, dont les grains pressés semblaient éclater d'abondance et de force.

— Voyez, monsieur le curé, criaient-ils, ce sont là les petites. Il y en a qui pèsent plusieurs livres. Voici dix ans que nous n'avons eu une pareille besogne.

Puis, ils rentraient dans les feuilles. Leurs vestes brunes faisaient des taches sur la verdure. Et les femmes, nu-tête, ayant au cou un mince fichu bleu, se courbaient en chantant. Il y avait des enfants qui se roulaient au soleil, dans les chaumes, poussant des rires aigus, égayant de leur turbulence l'atelier en plein air. Au bord du champ, de grosses charrettes immobiles attendaient le raisin; elles se détachaient sur le ciel clair, tandis que des hommes allaient et venaient sans cesse, portant les paniers pleins, rapportant les paniers vides.

Je l'avoue, au milieu de ce champ, il me vint des pensées d'orgueil. J'entendais la terre enfanter sous mes pas; la vie mûre et toute-puissante coulait dans les veines de la vigne, et chargeait l'air de souffles larges. Un sang chaud battait dans ma chair, j'étais comme soulevé par la fécondation qui débordait du sol et qui montait en moi. Le labeur de ce peuple d'ouvriers était mon œuvre, ces vignes étaient mes enfants; cette campagne entière devenait ma famille plantureuse et obéissante. J'avais plaisir à sentir mes pieds s'enfoncer dans la terre grasse.

Alors, j'embrassai d'un coup d'œil les terrains qui descendaient jusqu'à la Durance, et je possédai ces vignobles, ces prés, ces chaumes, ces oliviers. La maison blanchissait à côté de l'allée de chênes; la rivière semblait une frange d'argent posée au bord du grand manteau vert de mes pâturages. Je crus un instant que ma taille grandissait, qu'en étendant les bras, j'allais pouvoir serrer contre ma poitrine la propriété entière, les arbres et les prairies, la maison et les terres labourées.

Et comme je regardais, je vis, dans l'étroit sentier qui montait le coteau, une de nos servantes courant à perdre haleine. Elle se heurtait aux cailloux, emportée par son élan, agitant les deux bras, nous appelant de ses gestes éperdus. Une émotion inexprimable me prit à la gorge.

— Mon oncle, mon oncle! criai-je, voyez donc courir Marguerite... Je crois que c'est pour aujourd'hui.

Mon oncle Lazare devint tout pâle. La servante était enfin arrivée sur le plateau; elle venait à nous, en sautant par-dessus les vignes. Quand elle fut devant moi, l'haleine lui manqua; elle étouffait, appuyant les mains sur sa poitrine.

— Parlez donc! lui dis-je. Qu'arrive-t-il?

Elle poussa un gros soupir, fit aller les mains, put enfin prononcer ce seul mot:

— Madame...

Je n'attendis pas davantage.

— Venez, venez vite, oncle Lazare! Ah! ma pauvre et chère Babet!

Et je descendis le sentier, lancé à me briser les os. Les vendangeurs, qui s'étaient mis debout, me regardaient courir en souriant. L'oncle Lazare, ne pouvant me rejoindre, agitait sa canne avec désespoir.

— Hé! Jean, que diable! criait-il, attends-moi. Je ne veux pas arriver le dernier.

Mais je n'entendais plus l'oncle Lazare, je courais toujours.

J'arrivai à la ferme, haletant, plein de terreur et d'espérance. Je montai rapidement l'escalier, je frappai du poing à la porte de Babet, riant, pleurant, la tête perdue. La sage-femme entrebâilla la porte, pour me dire d'un ton fâché de ne point faire tant de bruit. Je demeurai désespéré et honteux.

— Vous ne pouvez entrer, ajouta-t-elle. Allez attendre dans la cour.

Et comme je ne bougeais pas:

— Tout va bien, continua la sage-femme. Je vous appellerai.

La porte se referma. Je restai droit devant elle, ne me décidant pas à descendre. J'entendais Babet se plaindre d'une voix brisée. Et, comme j'étais là, elle poussa un cri déchirant qui me frappa comme une balle en pleine poitrine. Il me prit une envie irrésistible d'enfoncer la porte d'un coup d'épaule. Pour ne pas céder à cette envie, je mis les mains à mes oreilles, je me précipitai follement dans l'escalier.

Je trouvai dans la cour mon oncle Lazare qui arrivait tout essoufflé. Le cher homme fut obligé de s'asseoir sur la margelle du puits.

— Eh bien! me demanda-t-il, où est l'enfant?

— Je ne sais pas, répondis-je; on m'a mis à la porte... Babet souffre et pleure.

Nous nous regardâmes, n'osant prononcer une parole. Nous tendions l'oreille avec angoisse, nous ne quittions pas des yeux la fenêtre de Babet, cherchant à voir au travers des petits rideaux blancs. L'oncle, tremblant, restait immobile, les deux mains appuyées fortement sur sa canne; moi, pris de fièvre, je marchais devant lui à grands pas. Par moments, nous échangions des sourires inquiets.

Les charrettes des vendangeurs arrivaient une à une. Les paniers de raisin étaient posés contre un des murs de la cour, et des hommes, les jambes nues, foulaient les grappes sous leurs pieds, dans des auges de bois. Les mulets hennissaient, les charretiers juraient, tandis que le vin tombait avec des bruits sourds au fond de la cuve. Des odeurs âcres montaient dans l'air tiède.

Et j'allais toujours de long en large, comme grisé par ces odeurs. Ma pauvre tête éclatait, je songeais à Babet, en regardant couler le sang du raisin. Je me disais avec une joie toute physique que mon enfant naissait à l'époque féconde de la vendange, dans les senteurs du vin nouveau.

L'impatience me torturait, je montai de nouveau. Mais je n'osai frapper, je collai mon oreille contre le bois de la porte, et j'entendis les plaintes de Babet, qui sanglotait tout bas. Alors le cœur me manqua, je maudis la souffrance. L'oncle Lazare, qui était doucement monté derrière moi, dut me ramener dans la cour. Il voulut me distraire, il me dit que le vin serait excellent; mais il parlait sans s'écouter lui-même. Et, par instants, nous nous taisions tous deux, écoutant avec anxiété une plainte plus prolongée de Babet.

Peu à peu, les cris s'adoucirent, ce ne fut plus qu'un murmure douloureux, une voix d'enfant qui s'endort en pleurant. Puis, un grand silence se fit. Bientôt ce silence me causa une épouvante indicible. La maison me paraissait vide, maintenant que Babet ne sanglotait plus. J'allais monter, lorsque la sage-femme ouvrit sans bruit la fenêtre. Elle se pencha, et, me faisant signe de la main:

— Venez, me dit-elle.

Je montai lentement, goûtant des joies plus profondes à chaque marche. Mon oncle Lazare frappait déjà à la porte, que j'étais encore au milieu de l'escalier, prenant une sorte de plaisir étrange à retarder le moment où j'embrasserais ma femme.

Sur le seuil je m'arrêtai, le cœur battant à grands coups. Mon oncle était penché sur le berceau. Babet, toute blanche, les yeux fermés, semblait dormir. J'oubliai l'enfant, j'allai droit à Babet, je pris sa chère tête entre mes mains. Les larmes n'avaient pas séché sur ses joues, et ses lèvres, encore frémissantes, souriaient trempées de pleurs. Elle leva paresseusement les paupières. Elle ne me parla pas, mais je l'entendis me dire: «J'ai bien souffert, mon brave Jean, mais j'étais si heureuse de souffrir! Je te sentais en moi.»

Alors, je me penchai, je baisai les yeux de Babet, je bus ses larmes. Elle riait doucement, elle s'abandonnait avec une langueur caressante. La fatigue la tenait endolorie. Elle dégagea lentement ses mains du drap de lit, et, me prenant par le cou, approchant sa bouche de mon oreille:

— C'est un garçon, murmura-t-elle d'une voix faible, avec un air de triomphe.

Ce furent là les premiers mots qu'elle prononça après la terrible crise qui venait de la secouer.

— Je savais bien que ce serait un garçon, continua-t-elle, je voyais l'enfant chaque nuit... Donne-le moi, couche-le à mon côté.

Je me tournai, et je vis la sage-femme et mon oncle se quereller. La sage-femme avait toutes les peines du monde à empêcher l'oncle Lazare de prendre le petit entre ses bras. Il voulait le bercer.

Je regardai l'enfant que la mère m'avait fait oublier. Il était tout rose. Babet disait avec conviction qu'il me ressemblait; la sage-femme trouvait qu'il avait les yeux de sa mère; moi je ne savais pas, j'étais ému jusqu'aux larmes, j'embrassai le cher petit comme du pain, croyant encore embrasser Babet.

Je posai l'enfant sur le lit. Il poussait des cris continus qui nous semblaient être une musique céleste. Je m'assis sur le bord de la couche, mon oncle se mit dans un grand fauteuil, et Babet, lasse et sereine, couverte jusqu'au menton, resta les paupières levées, les yeux souriants.

La fenêtre était ouverte toute grande. L'odeur du raisin entrait avec les tiédeurs de la douce après-midi d'automne. On entendait les piétinements des vendangeurs, les secousses des charrettes, les claquements des fouets; par moments, montait la chanson aiguë d'une servante qui traversait la cour. Tous ces bruits s'adoucissaient dans la sérénité de cette chambre, encore émue des sanglots de Babet. Et la fenêtre taillait en plein ciel et en pleine campagne une large bande de paysage. Nous apercevions l'allée de chênes dans sa longueur, puis la Durance, comme un ruban de satin blanc, passait au milieu de l'or et de la pourpre des feuillages; tandis que, au-dessus de ce coin de terre, un ciel pâle, bleu et rose, creusait ses limpides profondeurs.

C'est dans le calme de cet horizon, dans les exhalaisons de la cuve, dans les joies du travail et de l'enfantement, que nous causions tous trois, Babet, l'oncle Lazare et moi, en regardant le cher petit nouveau-né.

— Oncle Lazare, disait Babet, quel nom donnerez-vous à l'enfant?

— La mère de Jean s'appelait Jacqueline, répondit l'oncle, je nommerai l'enfant Jacques.

— Jacques, Jacques, répéta Babet... Oui, c'est un joli nom... Et, dites-moi, que ferons-nous de ce petit homme: un curé ou un soldat, un monsieur ou un paysan?

Je me mis à rire.

— Nous avons le temps de songer à cela, lui dis-je.

— Mais non, reprit Babet presque fâchée, il grandira vite. Vois comme il est fort. Ses yeux parlent déjà.

Mon oncle Lazare pensait absolument comme ma femme. Il reprit d'un ton grave:

— N'en faites ni un prêtre ni un soldat, à moins que le garçon n'ait une vocation irrésistible... En faire un monsieur, cela est grave...

Babet, anxieuse, me regardait. La chère femme n'avait pas un brin d'orgueil pour elle; mais, comme toutes les mères, elle eût voulu être humble et fière devant son fils. J'aurais juré qu'elle le voyait déjà notaire ou médecin. Je l'embrassai, je lui dis doucement:

— Je désire que l'enfant habite notre chère vallée. Un jour, il trouvera, au bord de la Durance, une Babet de seize ans, à laquelle il offrira à boire. Souviens-toi, mon amie... La campagne nous a donné la paix: notre fils sera paysan comme nous, heureux comme nous.

Babet, tout émue, m'embrassa à son tour. Elle regarda par la fenêtre les feuillages et la rivière, les prairies et le ciel; puis, en souriant:

— Tu as raison, Jean, me dit-elle. Ce pays a été bon pour nous, il le sera pour notre petit Jacques... Oncle Lazare, vous serez le parrain d'un fermier.

L'oncle Lazare approuva de la tête, d'un signe las et affectueux. Depuis un instant, je l'examinais, et je voyais ses yeux se voiler, ses lèvres pâlir. Renversé dans le fauteuil, en face de la fenêtre ouverte, il avait posé ses mains blanches sur ses genoux, il regardait fixement le ciel d'un air d'extase recueillie.

Je fus pris d'inquiétude.

— Souffrez-vous, oncle Lazare? lui demandai-je. Qu'avez-vous?... Répondez, par grâce.

Il leva doucement une de ses mains, comme pour me prier de parler plus bas; puis il la laissa retomber, et, d'une voix faible:

— Je suis brisé, dit-il. A mon âge, le bonheur est mortel... Ne faites pas de bruit... Il me semble que ma chair est devenue toute légère: je ne sens plus mes jambes ni mes bras.

Babet, effrayée, se souleva, regardant l'oncle Lazare. Je me mis à genoux devant lui, le contemplant avec anxiété. Lui, souriait.

— Ne vous épouvantez pas, reprit-il. Je n'éprouve aucune souffrance; une douceur descend en moi, je crois que je vais m'endormir d'un sommeil juste et bon... Cela vient de me prendre tout d'un coup, et je remercie Dieu. Ah! mon pauvre Jean, j'ai trop couru dans le sentier du coteau, l'enfant m'a donné trop de joie.

Et comme nous comprenions, comme nous éclations en sanglots, l'oncle Lazare continua, sans cesser de regarder le ciel:

— Ne gâtez pas ma joie, je vous en supplie... Si vous saviez combien je suis heureux de m'endormir pour toujours dans ce fauteuil! Jamais je n'ai osé rêver une mort si consolante. Toutes mes tendresses sont là, à mes côtés... Et voyez quel ciel bleu! Dieu m'envoie une belle soirée.

Le soleil se couchait derrière l'allée de chênes. Les rayons obliques jetaient des nappes d'or sous les arbres qui prenaient des tons de vieux cuivre. Au loin, la campagne verte se perdait dans une sérénité vague. L'oncle Lazare s'affaiblissait de plus en plus, en face de ce silence attendri, de ce coucher de soleil, apaisé, entrant par la fenêtre ouverte.

Il s'éteignait lentement, comme ces lueurs légères qui pâlissaient sur les hautes branches.

— Ah! ma bonne vallée, murmura-t-il, tu me fais de tendres adieux... J'avais peur de mourir l'hiver, lorsque tu es toute noire.

Nous retenions nos larmes, nous ne voulions pas troubler cette mort si sainte. Babet priait à voix basse. L'enfant jetait toujours de légers cris.

Mon oncle Lazare entendit ces cris, dans le rêve de son agonie. Il essaya de se tourner vers Babet, et, souriant encore:

— J'ai vu l'enfant, dit-il, je meurs bien heureux.

Alors, il regarda le ciel pâle, la campagne blonde, et, renversant la tête, il poussa un faible soupir. Aucun frisson ne secoua le corps de l'oncle Lazare; il entra dans la mort comme on entre dans le sommeil.

Une telle douceur s'était faite en nous, que nous restâmes muets, sans larmes. Nous n'éprouvions qu'une tristesse sereine en face de tant de simplicité dans la mort. Le crépuscule tombait, les adieux de l'oncle Lazare nous laissaient confiants, ainsi que les adieux du soleil qui meurt le soir pour renaître le matin.

Telle fut ma journée d'automne, qui me donna un fils et qui emporta mon oncle Lazare dans la paix du crépuscule.

Hiver

Janvier a de sinistres matinées, qui glacent le cœur. Au réveil, ce jour-là, je fus pris d'une inquiétude vague. Pendant la nuit, le dégel était venu, et, lorsque, du seuil de la porte, je regardai la campagne, elle m'apparut comme un immense haillon d'un gris sale, souillé de boue, troué de déchirures.

Un rideau de brouillard cachait les horizons. Dans ce brouillard, les chênes de l'allée dressaient lugubrement leurs bras noirs, pareils à une rangée de spectres gardant l'abîme de vapeur qui se creusait derrière eux. Les terres étaient défoncées, couvertes de flaques d'eau, le long desquelles traînaient des lambeaux de neige salie. Au loin, la grande voix de la Durance s'enflait.

L'hiver est d'une vigueur saine, lorsque le ciel est clair et que la terre est dure. L'air pince les oreilles, on marche gaillardement dans les sentiers gelés qui sonnent sous les pas avec des bruits d'argent. Les champs s'élargissent, propres et nets, blancs de glace, jaunes de soleil.

Mais je ne sais rien de plus attristant que ces temps fades de dégel; je hais les brouillards dont l'humidité pèse aux épaules.

Je frissonnai devant ce ciel cuivré; je me hâtai de rentrer, décidé à ne point aller aux champs, ce jour-là. Il ne manquait pas de travail dans l'intérieur de la ferme.

Jacques était levé depuis longtemps. Je l'entendais siffler sous un hangar, où il donnait un coup de main à des hommes qui enlevaient des sacs de blé. Le garçon avait déjà dix-huit ans; c'était un grand gaillard, aux bras forts. Il n'avait pas eu un oncle Lazare pour le gâter et lui apprendre le latin, il n'allait point rêver sous les saules de la rive. Jacques était devenu un vrai paysan, un travailleur infatigable, qui se fâchait lorsque je touchais à quelque chose, me disant que je me faisais vieux et que je devais me reposer.

Et, comme je le regardais de loin, un être doux et léger, qui me sauta sur les épaules, posa ses petites mains sur mes yeux, en me demandant:

— Qui est-ce?

Je me mis à rire.

— C'est, répondis-je, la petite Marie, que sa mère vient d'habiller.

La chère fillette allait avoir dix ans, et, depuis dix ans, elle était la joie de la ferme. Venue la dernière, à une époque où nous n'espérions plus avoir d'enfant, elle était doublement aimée. Sa santé chancelante nous la rendait chère. On la traitait en demoiselle; sa mère voulait absolument en faire une dame, et je n'avais pas le courage de vouloir autre chose, tant la petite Marie était mignonne, dans ses belles jupes de soie ornées de rubans.

Marie n'était pas descendue de mes épaules.

— Maman, maman, criait-elle, viens donc voir; je joue au cheval.

Babet, qui entrait, eut un sourire. Ah! ma pauvre Babet, comme nous étions vieux! Je me souviens que nous grelottions de lassitude, ce jour-là, en nous regardant d'un air triste, lorsque nous étions seuls. Nos enfants nous rendaient notre jeunesse.

Le déjeuner fut silencieux. Nous avions été obligés d'allumer la lampe. Les clartés rousses qui traînaient dans la pièce étaient d'une tristesse à mourir.

— Bah! disait Jacques, il vaut mieux cette pluie tiède qu'un grand froid qui gèlerait nos oliviers et nos vignes.

Et il essayait de plaisanter. Mais il était inquiet comme nous, sans savoir pourquoi. Babet avait fait de mauvais rêves. Nous écoutions le récit de ses cauchemars, riant des lèvres, le cœur serré.

— C'est le temps qui nous met l'âme à l'envers, dis-je pour rassurer tout le monde.

— Oui, oui, c'est le temps, se hâta de reprendre Jacques. Je vais mettre quelques sarments dans le feu.

Une flambée joyeuse jeta de larges nappes de lumière contre les murs. Les ceps brûlaient avec des pétillements, laissant des brasiers roses. Nous nous étions assis devant la cheminée; l'air, au dehors, était tiède; mais, dans l'intérieur de la ferme, il tombait des plafonds une humidité glaciale. Babet avait pris la petite Marie sur ses genoux; elle causait tout bas avec elle, s'égayant de son babil d'enfant.

— Venez-vous, père? me demanda Jacques. Nous allons visiter les caves et les greniers.

Je sortis avec lui. Depuis quelques années, les récoltes devenaient mauvaises. Nous subissions de grosses pertes: nos vignes, nos arbres étaient surpris par les froids; la grêle hachait nos blés et nos avoines. Et je disais parfois que je devenais vieux, que la fortune, qui est femme, n'aime pas les vieillards. Jacques riait, en me répondant qu'il était jeune, lui, et qu'il allait faire la cour à la fortune.

J'en étais à l'hiver, à la saison froide. Je sentais bien que tout mourait autour de moi. A chaque gaîté qui s'en allait, je songeais à l'oncle Lazare, qui était resté si calme dans la mort; je demandais des forces à son cher souvenir.

Vers trois heures, le jour tomba complètement. Nous descendîmes dans la salle commune. Babet cousait au coin de la cheminée, la tête penchée; la petite Marie, assise par terre, en face du feu, habillait gravement une poupée. Jacques et moi, nous nous étions mis devant un bureau d'acajou, qui nous venait de l'oncle Lazare; nous nous occupions à vérifier nos comptes.

La fenêtre était comme murée; le brouillard, collé aux vitres, bâtissait une véritable muraille de ténèbres. Derrière cette muraille, se creusait le vide, l'inconnu. Seule, une clameur large, une voix haute, qui emplissait l'ombre, s'élevait dans le silence.

Nous avions congédié les travailleurs, ne gardant avec nous que notre vieille servante Marguerite. Quand je levais la tête et que j'écoutais, il me semblait que la ferme se trouvait suspendue au milieu d'un gouffre. Aucun bruit humain ne venait du dehors, je n'entendais que la clameur de l'abîme. Alors je regardais ma femme et mes enfants, j'avais les lâchetés des vieilles gens qui se sentent trop faibles pour protéger ceux qui les entourent contre les périls inconnus.

La clameur devint plus rauque, et il nous sembla qu'on heurtait à la porte. Au même instant, les chevaux de l'écurie se mirent à hennir furieusement, les bestiaux poussèrent des beuglements étouffés. Nous nous étions tous levés, pâles d'inquiétude. Jacques se précipita vers la porte, l'ouvrit toute grande.

Un flot d'eau trouble entra brusquement et s'étala dans la pièce.

La Durance débordait. C'était elle qui jetait la clameur s'élargissant au loin depuis le matin. Les neiges fondaient dans les montagnes, chaque coteau était devenu un torrent qui enflait la rivière. Le rideau de brouillard nous avait caché cette crue soudaine.

Souvent, dans les hivers rigoureux, en temps de dégel, l'eau était ainsi montée jusqu'à la porte de la ferme. Mais jamais le flot n'avait grandi si rapidement. Par la porte ouverte, nous apercevions la cour transformée en lac. Nous avions déjà de l'eau jusqu'aux chevilles.

Babet avait soulevé la petite Marie, qui pleurait en serrant sa poupée contre sa poitrine. Jacques voulait aller ouvrir les portes des écuries et des étables; mais sa mère, le retenant par ses vêtements, le supplia de ne point sortir. L'eau montait toujours. Je poussai Babet vers l'escalier.

— Vite, vite, allons dans les chambres, criai-je.

Et je forçai Jacques à passer devant moi. Je quittai le rez-de-chaussée le dernier.

Marguerite, terrifiée, descendit du grenier où elle se trouvait. Je la fis asseoir au fond de la pièce, à côté de Babet, qui restait silencieuse, pâle, les yeux suppliants. Nous avions couché la petite Marie dans le lit; elle n'avait pas voulu se séparer de sa poupée, elle s'endormait doucement, en la serrant entre ses bras. Ce sommeil de l'enfant me soulageait; lorsque je me tournais et que je voyais Babet, écoutant le souffle régulier de la fillette, j'oubliais le danger, je n'entendais plus l'eau qui battait les murs.

Mais nous ne pouvions, Jacques et moi, nous empêcher de regarder le péril en face. L'anxiété nous poussait à nous rendre compte des progrès de l'inondation. Nous avions ouvert la fenêtre toute grande, nous nous penchions au risque de tomber, nous interrogions la nuit. Le brouillard, plus épais, traînait sur l'eau, suant une pluie fine qui nous pénétrait de frissons. De vagues reflets d'acier indiquaient seuls la nappe mouvante, au fond des ténèbres. En bas, dans la cour, le flot clapotait, montant le long des murailles avec des ondulations douces. Et nous n'entendions toujours que la colère de la Durance et que l'épouvante des chevaux et des bestiaux.

Les hennissements, les beuglements de ces pauvres bêtes me fendaient l'âme. Jacques m'interrogeait du regard; il aurait voulu tenter de les délivrer. Bientôt leurs plaintes d'agonie devinrent lamentables, et un grand craquement se fit entendre. Les bœufs venaient de briser les portes de l'étable. Nous les vîmes passer devant nous, emportés par les eaux, roulés dans le courant. Et ils disparurent dans la clameur de la rivière.

Alors la colère me prit à la gorge, je devins comme fou, je montrai le poing à la Durance. Debout devant la fenêtre, je l'insultais.

— Mauvaise! criai-je au milieu du vacarme des eaux, je t'ai aimée d'amour, tu as été ma première maîtresse, et tu me voles aujourd'hui, tu viens ébranler ma ferme et emporter mes bestiaux. Ah! maudite, maudite!... Puis, tu m'as donné Babet, tu t'es promenée avec douceur au bord de mes prés. Moi, je croyais que tu étais une bonne mère, je me rappelais que l'oncle Lazare avait eu de la tendresse pour tes eaux claires, je pensais te devoir de la reconnaissance... Tu es une marâtre, je ne te dois que de la haine...

Mais la Durance, de sa voix de tonnerre, étouffait mes cris; et, large, indifférente, elle étalait et poussait ses flots avec l'entêtement tranquille des choses.

Je rentrai dans la chambre, j'allai embrasser Babet qui pleurait. La petite Marie dormait en souriant.

— Ne t'effraye pas, dis-je à ma femme. L'eau ne peut toujours monter... Elle va certainement descendre... Il n'y a aucun danger.

— Non, il n'y a aucun danger, répétait Jacques fiévreusement. La maison est solide.

A ce moment, Marguerite, qui s'était approchée de la fenêtre, prise de la curiosité de la peur, se pencha comme folle, et tomba, en poussant un cri. Je me jetai devant la fenêtre, mais je ne pus empêcher Jacques de sauter dans l'eau. Marguerite l'avait bercé, il éprouvait pour la pauvre vieille une tendresse de fils. Au bruit des deux chutes, Babet s'était levée, épouvantée, les mains jointes. Elle resta là, debout, la bouche ouverte, les yeux agrandis, regardant la fenêtre.

Je m'étais assis sur l'appui de bois, les oreilles pleines du grondement des eaux. Je ne sais depuis combien de temps nous étions, Babet et moi, dans cette stupeur douloureuse, lorsqu'une voix m'appela. C'était Jacques qui se tenait au mur, sous la fenêtre. Je lui tendis la main, et il remonta.

Babet le prit avec force dans ses bras. Elle pouvait sangloter, maintenant; elle se soulageait.

Il ne fut pas question de Marguerite. Jacques n'osait dire qu'il n'avait pu la retrouver, et nous n'osions le questionner sur ses recherches.

Il me prit à part, il me ramena à la fenêtre.

— Père, me dit-il à demi-voix, il y a déjà plus de deux mètres d'eau dans la cour, et la rivière monte toujours. Nous ne pouvons rester ici davantage.

Jacques avait raison. La maison s'émiettait, les planches des hangars s'en allaient une à une. Puis, cette mort de Marguerite pesait sur nous. Babet, affolée, nous suppliait. Sur le grand lit, la petite Marie restait seule paisible, sa poupée entre les bras, dormant avec son bon sourire d'ange.

A chaque minute, le péril croissait. L'eau allait atteindre l'appui de la fenêtre et envahir la chambre. On aurait dit qu'une machine de guerre ébranlait la ferme à coups sourds, profonds, réguliers. Le courant devait nous prendre en pleine façade. Et nous ne pouvions espérer aucuns secours humains!

— Les minutes sont précieuses, dit Jacques avec angoisse. Nous allons être écrasés sous les décombres... Cherchons des planches, construisons un radeau.

Il disait cela dans la fièvre. Certes, j'aurais mille fois préféré être au milieu de la rivière, sur quelques poutres liées ensemble, que sous le toit de cette maison qui allait s'effondrer. Mais où prendre les poutres nécessaires? De rage, j'arrachai les planches des armoires, Jacques brisa les meubles, nous enlevâmes les volets, toutes les pièces de bois que nous pûmes atteindre. Et sentant qu'il était impossible d'utiliser ces débris, nous les jetions au milieu de la chambre, devenus furieux, cherchant toujours.

Notre dernière espérance s'en allait, nous comprenions notre misère et notre impuissance. L'eau montait; les voix rauques de la Durance nous appelaient avec colère. Alors, j'éclatai en sanglots, je pris Babet entre mes bras frémissants, je suppliai Jacques de venir près de nous. Je voulais que nous mourions tous dans une même étreinte.

Jacques s'était remis à la fenêtre. Et, brusquement:

— Père, cria-t-il, nous sommes sauvés!... Viens voir.

Le ciel était bon. Le toit d'un hangar, arraché par le courant, venait d'échouer devant la fenêtre. Ce toit, large de plusieurs mètres, était fait de poutres légères et de chaume; il surnageait, il devait former un excellent radeau. Je joignis les mains, j'aurais adoré ce bois et cette paille.

Jacques sauta sur le toit, après l'avoir fortement amarré. Il marcha sur le chaume, s'assurant de la solidité de chaque partie. Le chaume résista; nous pouvions nous aventurer sans crainte.

— Oh! il nous portera bien tous, dit Jacques joyeusement. Vois donc comme il s'enfonce peu dans l'eau!... Le difficile sera de le diriger.

Il regarda autour de lui et saisit au passage deux perches que le courant emportait.

— Eh! voici les rames, continua-t-il... Père, nous nous mettrons, toi à l'arrière, moi à l'avant, et nous conduirons aisément le radeau. Il n'y a pas trois mètres de fond... Vite, vite, embarquez, il ne faut pas perdre une minute.

Ma pauvre Babet tâchait de sourire. Elle enveloppa délicatement la petite Marie dans un châle; l'enfant venait de se réveiller; toute effrayée, elle gardait un silence coupé de gros soupirs. Je mis une chaise devant la fenêtre, je fis monter Babet sur le radeau. Comme je la tenais dans mes bras, je l'embrassai avec une émotion poignante; je sentais que ce baiser était un baiser suprême.

L'eau commençait à couler dans la chambre. Nous avions les pieds trempés. Je m'embarquai le dernier; puis, je déliai la corde. Le courant nous collait contre le mur; il nous fallut des précautions et des efforts infinis pour nous éloigner de la ferme.

Peu à peu, le brouillard était tombé. Lorsque nous partîmes, il pouvait être minuit. Les étoiles se noyaient encore dans une buée; la lune, presque au bord de l'horizon, éclairait la nuit d'une sorte d'aurore blafarde.

C'est alors que l'inondation nous apparut dans toute son horreur grandiose. La vallée était devenue fleuve. D'un coteau à l'autre, entre les masses sombres des cultures, la Durance passait énorme, seule vivante dans l'horizon mort, grondant d'une voix souveraine, gardant dans sa colère la majesté de son jet colossal. Par endroits, des bouquets d'arbres émergeaient, tachant la nappe pâle de marbrures noires. Je reconnus, devant nous, les cimes des chênes de l'allée; le courant nous poussait vers ces branches qui étaient pour nous autant de récifs. Autour du radeau flottaient des débris, des pièces de bois, des tonneaux vides, des paquets d'herbes; la rivière charriait les ruines que sa colère avait faites.

A gauche, nous apercevions les lumières de Dourgues. Des lueurs de lanternes couraient dans la nuit. L'eau n'avait pas dû monter jusqu'au village; les terres basses seules étaient envahies. Des secours allaient arriver sans doute. Nous interrogions les clartés qui traînaient sur l'eau; il nous semblait, à chaque instant, entendre des bruits de rames.

Nous étions partis à l'aventure. Dès que le radeau fut au milieu du courant, perdu dans les tourbillons de la rivière, l'angoisse nous reprit, nous regrettâmes presque d'avoir quitté la ferme. Je me tournai parfois, je regardai la maison qui restait toujours debout, grise sur l'eau blanche. Babet, accroupie au milieu du radeau, dans le chaume du toit, tenait la petite Marie sur ses genoux, la tête contre sa poitrine, pour lui cacher l'horreur de la rivière, toutes deux repliées, courbées dans un embrassement, comme rapetissées par la crainte. Jacques, debout à l'avant, appuyait de toute sa puissance sur sa perche; il nous jetait, par instants, de rapides regards, puis se remettait silencieusement à la besogne. Je le secondais de mon mieux, mais nos efforts pour gagner la rive restaient sans effet. Peu à peu, malgré nos perches que nous enfoncions dans la vase à les briser, nous étions dérivés; une force, qui semblait venir du fond de l'eau, nous poussait au large. Lentement, la Durance s'emparait de nous.

Luttant, baignés de sueur, nous en étions arrivés à la colère, nous nous battions avec la rivière comme avec un être vivant, cherchant à la vaincre, à la blesser, à la tuer. Elle nous serrait entre ses bras de géant, et nos perches devenaient, dans nos mains, des armes que nous lui enfoncions en pleine poitrine avec rage. Elle rugissait, elle nous jetait sa bave au visage, elle se tordait sous nos coups. Les dents serrées, nous résistions à sa victoire. Nous ne voulions pas être vaincus. Et il nous prenait des envies folles d'assommer le monstre, de le calmer à coups de poing.

Lentement, nous allions au large. Nous étions déjà à l'entrée de l'allée de chênes. Les branches noires perçaient l'eau qu'elles déchiraient avec des bruits lamentables. La mort nous attendait peut-être là, dans un heurt. Je criai à Jacques de prendre l'allée et de la suivre, en s'appuyant aux branches. Et c'est ainsi que je passai une dernière fois au milieu de cette allée de chênes où j'avais promené ma jeunesse et mon âge mûr. Dans la nuit terrible, sur le gouffre hurlant, je songeai à mon oncle Lazare, je vis les belles heures de ma vie me sourire tristement.

Au bout de l'allée, la Durance triompha. Nos perches ne touchèrent plus le fond. L'eau nous emporta dans l'élan furieux de sa victoire. Et maintenant elle pouvait faire de nous ce qu'il lui plairait. Nous nous abandonnâmes. Nous descendions avec une rapidité effrayante. De grands nuages, des haillons sales et troués, traînaient dans le ciel; puis, lorsque la lune se cachait, une obscurité lugubre tombait. Alors nous roulions dans le chaos. Des flots énormes d'un noir d'encre, pareils à des dos de poissons, nous emportaient en tournoyant. Je ne voyais plus Babet ni les enfants. Je me sentais déjà dans la mort.

J'ignore combien de temps dura cette course suprême. Brusquement, la lune se dégagea, les horizons blanchirent. Et, dans cette lumière, j'aperçus en face de nous une masse noire, qui barrait le chemin, et sur laquelle nous courions de toute la violence du courant. Nous étions perdus, nous allions nous briser là.

Babet s'était levée toute droite. Elle me tendait la petite Marie.

— Prends l'enfant, me cria-t-elle... Laisse-moi, laisse-moi!

Jacques avait déjà saisi Babet dans ses bras. D'une voix forte:

— Père, dit-il, sauvez la petite... Je sauverai ma mère.

La masse noire était devant nous. Je crus reconnaître un arbre. Le choc fut terrible, et le radeau, fendu en deux, sema sa paille et ses poutres dans le tourbillon de l'eau.

Je tombai, serrant avec force la petite Marie. L'eau glacée me rendit tout mon courage. Remonté à la surface de la rivière, je maintins l'enfant, je la couchai à moitié sur mon cou, et je me mis à nager péniblement. Si la petite ne s'était pas évanouie et qu'elle se fût débattue, nous serions restés tous les deux au fond du gouffre.

Et, tandis que je nageais, une anxiété me serrait à la gorge. J'appelais Jacques, je cherchais à voir au loin; mais je n'entendais que le grondement, je ne voyais que la nappe pâle de la Durance. Jacques et Babet étaient au fond. Elle avait dû s'attacher à lui, l'entraîner dans une étreinte mortelle. Quelle agonie atroce! J'aurais voulu mourir; j'enfonçais lentement, j'allais les retrouver sous l'eau noire. Et, dès que le flot touchait à la face de la petite Marie, je luttais de nouveau avec une énergie farouche pour me rapprocher de la rive.

C'est ainsi que j'abandonnai Babet et Jacques, désespéré de ne pouvoir mourir comme eux, les appelant toujours d'une voix rauque. La rivière me jeta sur les cailloux, pareil à un de ces paquets d'herbe qu'elle laissait dans sa course. Lorsque je revins à moi, je pris entre les bras ma fille qui ouvrait les yeux. Le jour naissait. Ma nuit d'hiver était finie, cette terrible nuit qui avait été complice du meurtre de ma femme et de mon fils.

A cette heure, après des années de regrets, une dernière consolation me reste. Je suis l'hiver glacé, mais je sens en moi tressaillir le printemps prochain. Mon oncle Lazare le disait: nous ne mourons jamais. J'ai eu les quatre saisons, et voilà que je reviens au printemps, voilà que ma chère Marie recommence les éternelles joies et les éternelles douleurs.

LES TROIS GUERRES

I

J'avais quatorze ans à l'époque de la guerre de Crimée. J'étais alors pensionnaire au collège d'Aix, enfermé avec deux ou trois cents autres galopins dans un ancien couvent de bénédictines, dont les longs corridors et les vastes salles gardaient une grande mélancolie. Mais les deux cours étaient gaies, sous ce ciel splendide du midi, élargissant son immensité bleue. J'ai conservé de ce collège un tendre souvenir, malgré les souffrances que j'y ai endurées.

J'avais donc quatorze ans, je n'étais plus un gamin, et j'ai pourtant conscience aujourd'hui de la parfaite ignorance du monde dans laquelle nous vivions. Au fond de ce trou perdu, l'écho des grands événements arrivait à peine. La ville, avec sa tristesse d'ancienne capitale morte, sommeillait au milieu de sa campagne aride, et le collège, près des remparts, dans un quartier désert, dormait plus profondément encore. Je ne me rappelle pas qu'une seule catastrophe politique en ait passé les murailles pendant que j'y étais cloîtré. Seule, la guerre de Crimée nous remua, et encore est-il à croire que des semaines se passèrent avant que le bruit en vînt jusqu'à nous.

Lorsque j'évoque mes souvenirs de cette époque, je souris de ce que la guerre était alors pour nous autres, écoliers de province. D'abord, tout restait dans un grand vague. Le théâtre de la lutte était si éloigné, si perdu, dans un pays étrange et barbare, que nous pensions assister à la réalisation d'un conte des Mille et une Nuits. Nous ne savions pas au juste où l'on se battait, et je ne crois pas que nous ayons eu un seul instant la curiosité de consulter les atlas qui se trouvaient entre nos mains. Il faut dire que nos professeurs nous entretenaient dans une ignorance absolue du monde moderne. Eux, lisaient les journaux, connaissaient les nouvelles; mais jamais ils n'ouvraient la bouche de ces choses, et si nous les avions interrogés, ils nous auraient renvoyés rudement à nos thèmes et à nos versions. Nous ne savions rien d'exact, si ce n'était que la France se battait en Orient, pour des raisons qui nous échappaient.

Cependant, certains points lumineux surgissaient. Nous répétions les plaisanteries classiques sur les Cosaques. Nous savions les noms de deux ou trois généraux russes, et nous n'étions pas éloignés de nous figurer ces généraux avec des têtes de monstres, dévorant les petits enfants. D'ailleurs, nous n'admettions pas une minute que les Français puissent être vaincus. Cela nous aurait paru contre nature. Puis, il y avait des trous. Comme la campagne se prolongeait, nous restions des mois à oublier qu'on se battait, jusqu'au jour où quelque rumeur nous remettait en haleine. Je ne pourrais dire si nous avons connu en leur temps les batailles, si nous avons reçu la secousse que la prise de Sébastopol détermina en France. Tout cela demeure confus: Virgile et Homère étaient, pour nous, des réalités plus inquiétantes que les querelles contemporaines des nations.

Je me souviens seulement qu'un jeu fut un moment très en faveur dans nos cours. Nous nous divisions en deux camps adverses. Nous tracions à terre deux lignes et il s'agissait de se battre réciproquement. C'était le jeu de barres simplifié. L'un des camps représentait l'armée russe, l'autre, l'armée française. Naturellement, les Russes devaient être vaincus; mais le contraire arrivait parfois, et c'était alors une fureur extraordinaire, un effroyable tapage. Au bout de huit jours, le proviseur fut forcé d'interdire ce joli jeu: deux élèves avaient dû être conduits à l'infirmerie, la tête fendue.

Parmi les plus glorieux dans ces combats, il y avait un grand blond, qui se faisait toujours nommer général. Louis, d'une vieille famille bretonne qui était venue se fixer dans le midi, prenait des allures de conquérant. Il était très souple, et très fort aux exercices corporels. Je le revois, avec un mouchoir noué au front en guise de panache, les reins serrés dans une ceinture de cuir, enlevant ses soldats, d'un geste de la main, comme d'un grand geste d'épée. Il faisait notre admiration, et nous éprouvions même quelque respect pour lui. Chose singulière, il avait un frère jumeau, Julien, beaucoup plus petit que lui, frêle et maladif, auquel ces jeux violents répugnaient beaucoup. Quand nous nous séparions en deux camps, il s'écartait, s'asseyait sur un banc de pierre, et, de là, il nous regardait de ses yeux tristes et un peu effrayés. Un jour, Louis, bousculé, assailli par toute une bande, étant tombé sous les coups, Julien avait poussé un cri, blême, frissonnant, pâmé comme une femme. Les deux frères s'adoraient, et pas un de nous n'aurait osé plaisanter le petit sur son peu de courage, par terreur du grand.

Le souvenir des deux jumeaux est intimement lié en moi au souvenir de cette époque. Vers le printemps, j'étais devenu demi-pensionnaire, je ne couchais plus au collège, et j'y arrivais seulement le matin, pour l'étude de sept heures. Les deux frères, eux aussi, étaient demi-pensionnaires. Tous les trois nous étions inséparables. Comme nous logions dans la même rue, nous nous attendions pour nous rendre au collège ensemble. Louis, très précoce, et qui rêvait des aventures, nous débaucha. Il fut convenu que nous partirions de chez nous à six heures, et que nous aurions une heure d'entière liberté, pendant laquelle nous pourrions faire les hommes. Pour nous, faire les hommes consistait à fumer des cigares et à aller boire des petits verres chez un liquoriste borgne que Louis avait découvert dans une ruelle écartée. Les cigares et les petits verres nous rendaient effroyablement malades, mais quelle émotion, lorsque nous entrions chez le liquoriste, en jetant un regard à droite et à gauche, pour voir si personne ne nous apercevait!

Ces belles équipées avaient lieu vers la fin de l'hiver. Je me rappelle certaines matinées où l'eau tombait à torrents. Nous pataugions, nous arrivions trempés à l'étude. Puis, les matinées devinrent tièdes et claires, et alors une folie nous prit, celle d'aller voir partir les soldats. Aix se trouve sur la route de Marseille. Des régiments entraient dans la ville par la route d'Avignon; ils y couchaient une nuit, et le lendemain, ils repartaient par la route de Marseille. A cette époque, on envoyait des renforts en Crimée, de la cavalerie surtout et de l'artillerie. Pas une semaine ne s'écoulait sans qu'il passât des troupes. Un journal de la localité annonçait même à l'avance ces mouvements, pour que les habitants chez qui les hommes logeaient, fussent prévenus. Seulement, nous ne lisions pas le journal, et notre grand souci était de savoir chaque jour s'il y aurait un départ le lendemain. Comme les départs avaient lieu à cinq heures du matin, nous étions obligés de nous lever de très bonne heure, souvent inutilement.

Quel temps heureux! Louis et Julien venaient m'appeler du milieu de la rue où pas un habitant ne se montrait encore. Je descendais à la hâte. Il faisait un peu froid, malgré la douceur printanière des journées; et nous allions tous les trois au travers de la ville déserte. Quand un régiment devait partir, les soldats se réunissaient sur le Cours, devant un hôtel où le colonel logeait d'habitude. Aussi, dès que nous débouchions par la rue d'Italie, allongions-nous la tête avec anxiété. Si le Cours était vide, c'était une désolation. Et souvent il était vide. Alors, sans le dire, nous regrettions notre lit, nous traînions les pieds jusqu'à sept heures, ne sachant à quoi employer notre liberté. Mais quelle joie aussi, lorsque, au détour de la rue, nous apercevions le Cours plein d'hommes et de chevaux! Dans le petit froid du matin, montait un brouhaha extraordinaire. Des soldats arrivaient de toutes parts, pendant que des tambours roulaient et que des clairons sonnaient. Les officiers avaient grand'peine à masser leurs hommes sur cette promenade.

Pourtant l'ordre s'établissait peu à peu, les rangs se formaient et nous causions avec les hommes, nous nous glissions sous les pieds des chevaux, au risque de nous faire écraser. D'ailleurs, nous n'étions pas les seuls à jouir du spectacle. Des petits rentiers apparaissaient un à un, des bourgeois matineux, toute la population qui sort de bonne heure. Bientôt, il y avait foule. Le soleil se levait. L'or et l'acier des uniformes resplendissaient dans la claire matinée.

Nous avons vu ainsi, sur le Cours de la ville paisible, encore lourde de sommeil, des dragons, des chasseurs à cheval, des lanciers, toutes les armes de la grosse cavalerie et de la cavalerie légère. Mais ceux que nous préférions, ceux qui excitaient en nous le plus vif enthousiasme, c'étaient les cuirassiers. Ceux-là nous éblouissaient, assis carrément sur leurs gros chevaux, avec l'astre éclatant de leurs cuirasses sur la poitrine. Leurs casques s'allumaient au soleil levant, leurs rangs étaient comme une file de soleils dont les rayons dansaient le long des maisons voisines. Quand les cuirassiers devaient partir, nous nous levions à quatre heures, avec la hâte de nous emplir les yeux de leur flamboiement.

Cependant, le colonel finissait par paraître. Le drapeau, qui couchait chez lui, se déployait. Et tout d'un coup, après deux ou trois commandements criés d'une voix forte, le régiment s'ébranlait. Il descendait le Cours, avec le premier trot des chevaux sur la terre dure, dans un roulement grandissant qui faisait sauter nos cœurs dans nos poitrines. Et nous courions, pour nous maintenir à la tête de la colonne, près de la musique, qui saluait la ville d'un pas redoublé. C'étaient d'abord trois appels aigus de clairon, pour avertir les musiciens; puis, la fanfare éclatait en sonorités qui couvraient tout. Hors des portes, elle achevait son pas redoublé dans la campagne, où les dernières notes se perdaient. On tournait à gauche, on prenait la route de Marseille, une belle route plantée d'ormes séculaires. Les chevaux allaient au pas, un peu débandés sur cette large voie, blanche de poussière. Il nous semblait que nous partions, nous aussi. La ville était loin, le collège était oublié, nous tapions des talons, ravis de cette escapade. C'était chaque semaine notre départ pour la guerre.

Ah! les belles matinées! Il était six heures, le soleil déjà haut éclairait la campagne d'un grand rayon oblique. Une tiédeur frissonnait dans le petit souffle glacé du matin. Des bandes d'oiseaux s'envolaient des haies. Au loin, les prairies étaient baignées d'une vapeur rose. Et au milieu de cet horizon souriant, les beaux soldats, les cuirassiers luisant comme des astres passaient avec leurs poitrines rayonnantes. La route tournait brusquement, une large vallée se creusait. Jamais les bourgeois curieux n'allaient plus loin, bientôt, nous étions les seuls à nous entêter. Nous descendions la côte, nous arrivions au pont qui enjambe la rivière, tout au fond. Là seulement, une inquiétude nous prenait. Il devait être près de sept heures, nous avions le temps tout juste de revenir au galop, si nous ne voulions pas manquer le collège. Souvent, nous nous laissions emporter, nous poussions plus loin encore, et ces jours-là, nous faisions l'école buissonnière, polissonnant jusqu'à midi, nous cachant dans les trous d'herbe, le long du torrent. D'autres fois, nous nous arrêtions au pont, assis sur le parapet de pierre, ne perdant pas de vue le régiment qui montait, devant nous, l'autre versant de la vallée.

C'était un spectacle bien émotionnant. La route escaladait la côte en ligne droite, pendant près de deux kilomètres. Les chevaux ralentissaient encore le pas, on voyait les hommes diminuer, dans le balancement rythmique de leurs montures. D'abord, chaque cuirasse, chaque casque était comme un soleil. Puis les soleils se rapetissaient, et bientôt ce n'était plus qu'une armée d'étoiles en marche. Enfin, les derniers hommes disparaissaient, la route restait nue. Du beau régiment qui était passé, il n'y avait plus qu'un souvenir.

Nous n'étions que des enfants. Mais, tout de même, ce spectacle nous rendait graves. A mesure que le régiment montait la côte, nous étions pris par un gros silence, les yeux fixés sur lui, désespérés à la pensée de le perdre; et, quand il avait disparu, nous avions la gorge serrée, nous regardions encore un instant la roche lointaine, derrière laquelle il venait de s'évanouir. Reviendrait-il jamais? Redescendrait-il un jour cette côte? Ces questions, vaguement, nous emplissaient de tristesse. Adieu! beau régiment!

Julien, surtout, rentrait très las. Il ne nous accompagnait si loin que pour ne pas quitter son frère. Ces parties le courbaturaient, et il avait une peur atroce des chevaux. Je me souviens qu'un jour, attardés à la suite d'un régiment d'artillerie, nous passâmes la journée en pleins champs, Louis était fou d'enthousiasme. Quand nous eûmes déjeuné d'une omelette dans un village, il nous mena à un trou de la rivière, où il voulut absolument prendre un bain. Ensuite, il parla de s'engager, dès qu'il aurait l'âge.

— Non! non! cria Julien, en lui jetant les bras autour du cou.

Il était tout pâle. Et son frère riait, l'appelait grande bête. Mais lui, répétait:

— On te tuerait, je le sais bien.

Ce jour-là, excité, plaisanté par nous, Julien vida son cœur. Il trouvait les soldats très laids, il ne voyait pas ce qui pouvait nous séduire en eux. Les soldats étaient la cause de tout, parce que, s'il n'y avait pas eu de soldats, on ne se serait pas battu. Enfin, il abominait la guerre, elle le terrifiait, et plus tard, il saurait bien s'arranger de façon à ce que son frère ne partît pas. C'était comme une répugnance maladive, invincible.

Des semaines, des mois s'écoulèrent. Nous nous étions lassés des régiments, nous avions inventé un autre jeu, celui d'aller pêcher le matin des petits poissons de vase et de manger notre pêche dans un cabaret borgne. L'eau était glaciale. Julien prit une fluxion dont il faillit mourir. Au collège, on ne parlait plus de la guerre. Nous étions retombés plus profondément dans Homère et dans Virgile. Tout d'un coup, nous apprîmes que les Français avaient remporté la victoire, ce qui nous parut tout naturel. Puis, des régiments se mirent à passer de nouveau, en sens inverse. Ils ne nous intéressaient plus. Pourtant, nous en vîmes deux ou trois qui nous semblèrent moins beaux, diminués de moitié. Telle a été la guerre de Crimée, en France, pour des écoliers enfermés dans un collège de province.

II

En 1859, j'étais à Paris, au collège Saint-Louis, où j'achevais mes études. Justement, je me trouvais là avec mes deux condisciples d'Aix, Louis et Julien. Louis se préparait aux examens d'admission à l'école Polytechnique. Julien avait décidé qu'il ferait son droit. Nous étions externes tous les trois.

A cette époque, nous n'étions plus les sauvages qui ignoraient tout du monde contemporain. Paris nous avait déniaisés. Aussi, lorsque la guerre d'Italie éclata, étions-nous au courant des événements politiques qui l'avaient amenée. Nous raisonnions même cette guerre en stratégistes et en hommes d'État. Ce fut alors une mode, au collège, de s'intéresser à la campagne et de suivre les mouvements des armées sur des cartes. A l'étude, nous pointions avec des épingles les diverses positions, nous livrions et nous gagnions des batailles. Pour se tenir au courant, on faisait une consommation effrayante de journaux. C'étaient nous autres, les externes, qui nous chargions de les introduire. Nous arrivions les poches bourrées, avec des épaisseurs de papier sous nos paletots, cuirassés des pieds à la tête. Et, pendant les classes, les journaux circulaient, on négligeait les leçons, les devoirs, on se gorgeait de nouvelles, derrière le dos de son voisin. Pour dissimuler les grandes feuilles, on les coupait en quatre, on les ouvrait dans des livres. Les professeurs n'étaient pas toujours dupes, mais ils laissaient faire, avec une tolérance d'hommes résignés à abandonner les paresseux à leur paresse.

Dans les commencements, Julien haussait les épaules. Il s'était pris d'une belle passion pour les poètes de 1830, il avait toujours dans sa poche un volume de Musset ou d'Hugo, qu'il lisait en classe. Aussi, lorsqu'on lui passait un morceau de journal, le faisait-il circuler dédaigneusement, sans vouloir même y jeter un regard. Puis, il continuait la lecture de la pièce de vers commencée. Cela lui semblait monstrueux, qu'on pût se passionner pour des hommes qui se battaient. Mais une catastrophe qui bouleversa sa vie, le fit brusquement changer d'opinion.

Louis, qui venait d'échouer dans ses examens, s'engagea un beau jour. C'était un coup de tête, qu'il méditait depuis longtemps. Il avait un oncle général, il croyait être certain de faire son chemin, sans passer par les écoles. D'ailleurs, après la guerre, il pourrait encore tenter d'entrer à Saint-Cyr. Lorsque Julien apprit la nouvelle, il resta foudroyé. Il n'était plus le gamin qui s'emportait contre la guerre, avec des arguments de demoiselle: mais il gardait une répugnance insurmontable. Il voulut se montrer homme fort, et il réussit à ne pas pleurer devant nous. Seulement, dès que son frère fut parti, il devint un des plus acharnés à dévorer les journaux. Nous entrions au lycée et nous en sortions ensemble. Nos conversations ne roulaient plus que sur les batailles probables. Je me rappelle qu'il m'emmenait chaque soir au jardin du Luxembourg. Il laissait ses livres sur un banc, il traçait dans le sable toute une carte de l'Italie du Nord. Cela l'occupait de son frère. Au fond, il était éperdu à l'idée constante qu'on pouvait le lui tuer.

Aujourd'hui encore, quand je m'interroge, j'ai peine à démêler de quoi était faite, chez Julien, cette horreur de la guerre. Il n'était pas lâche. Il avait seulement une répugnance pour les exercices du corps, mettant bien au-dessus les pures spéculations de l'esprit. Vivre une vie de savant ou de poète, dans une chambre close, lui semblait le vrai but de l'homme sur cette terre; tandis que les agitations de la rue, les batailles à coups de poing ou à coups d'épée, tout ce qui développe les muscles, lui paraissait le fait d'une nation de sauvages. Il avait le mépris des hercules de foire, des gymnastes, des dompteurs de bêtes. Je dois ajouter qu'il n'était point patriote. Nous l'écrasions de notre mépris à ce sujet, et je revois le sourire et le haussement d'épaules par lesquels il nous répondait.

Un des souvenirs les plus vibrants de cette époque qui soit resté en moi, est celui de la belle journée d'été où la victoire de Magenta fut connue à Paris. On était en juin, un mois de juin superbe, comme nous en avons rarement en France. C'était un dimanche. Nous avions fait le projet, la veille, Julien et moi, d'aller flâner aux Champs-Élysées. Il était très inquiet de son frère, dont il n'avait pas reçu de lettre, et je voulais le distraire. Je le pris chez lui, à une heure, puis nous descendîmes vers la Seine, de ce pas nonchalant des écoliers qui n'ont plus derrière eux la surveillance du maître d'étude. Il faut connaître Paris par un de ces jours fériés de grosse chaleur. L'ombre noire des maisons coupe nettement la blancheur des pavés. Entre les façades closes, on ne voit qu'une bande de ciel, d'un bleu dur. Je ne sais pas d'endroit au monde où il fasse plus chaud qu'à Paris, lorsqu'il fait chaud: c'est un embrasement, un étouffement d'asphyxie. Certains coins de Paris sont déserts, les quais entre autres, que les promeneurs abandonnent pour les bois de la banlieue. Et quelle adorable promenade pourtant, ces quais si paisibles et si larges, avec leur rangée de petits arbres touffus et la coulée superbe de la rivière, en bas, toute vivante d'une population mouvante de bateaux!

Nous étions donc arrivés à la Seine, nous suivions les quais, à l'ombre des arbres. Des bruits légers montaient du fleuve, dont les eaux frissonnaient au soleil avec un grand froissement de moires d'argent. Dans l'air de fête de ce beau dimanche, il y avait comme un souffle particulier. Paris, positivement, s'emplissait déjà de l'approche d'une grande nouvelle, que tout le monde, les maisons elles-mêmes paraissaient attendre. La campagne d'Italie, si rapide comme on le sait, avait débuté par des succès; mais il n'y avait pas eu encore de bataille importante, et c'était cette bataille que Paris, depuis deux jours, sentait. La grande ville, recueillie, entendait le canon lointain.

J'ai conservé nettement le souvenir de cette impression. Je venais de communiquer à Julien la sensation étrange que j'éprouvais, en lui disant que Paris «avait l'air drôle», lorsque, en arrivant au quai Voltaire, nous remarquâmes de loin, devant la maison où l'on imprimait *Le Moniteur*, un petit groupe de gens en train de lire une affiche. Il n'y avait pas là plus de sept à huit personnes. Du trottoir où nous étions, nous les apercevions qui gesticulaient, riant, élevant la voix. Nous traversâmes la chaussée vivement. L'affiche était une dépêche manuscrite, annonçant en quatre lignes la victoire de Magenta. Les pains à cacheter qui la fixaient au mur n'étaient pas encore secs. Evidemment, nous étions les premiers à savoir, dans ce grand Paris endimanché.

Des gens accouraient, et il fallait voir quel enthousiasme! On fraternisait tout de suite, on échangeait des poignées de main sans se connaître; un monsieur décoré expliquait à un ouvrier où la bataille avait dû avoir lieu; les femmes riaient, avec de jolis rires, et paraissaient tentées de se jeter au cou des passants. Peu à peu, le groupe grandissait, on appelait de la main les promeneurs, des cochers arrêtaient leurs voitures et descendaient de leurs sièges. Quand nous partîmes, il y avait là plus de mille personnes.

Alors, ce fut une magnifique journée. La nouvelle, en quelques minutes, avait gagné la ville entière. Nous pensions la porter avec nous, et elle nous devançait, car nous ne pouvions tourner une rue, longer une promenade, sans comprendre aussitôt à la joie des visages, qu'elle était connue. Elle flottait dans le soleil, elle volait avec le vent. En une demi-heure, l'aspect de Paris changea, l'attente recueillie était devenue une explosion de triomphe. Nous nous promenâmes pendant deux heures aux Champs-Élysées, parmi la foule qui riait d'aise. Les yeux des femmes avaient pris une beauté particulière. Et ce mot «Magenta!» sortait, sonore, de toutes les bouches.

Cependant, Julien bouleversé, restait très pâle, et je compris quelle était son angoisse secrète, lorsqu'il murmura:

— On rit aujourd'hui, mais combien pleureront demain!

Il songeait à son frère. Je le plaisantai pour le rassurer, je lui dis que Louis allait revenir capitaine.

— Pourvu qu'il revienne! reprit-il en hochant la tête.

Dès que la nuit fut tombée, Paris s'illumina. A toutes les fenêtres, des lanternes vénitiennes se balançaient. Les plus pauvres avaient allumé des chandelles, et même j'aperçus des chambres dont les locataires s'étaient contentés de poser leur lampe sur une table, dans l'embrasure de la fenêtre. La nuit était superbe, tout Paris descendit dans la rue. Il y avait du monde assis sur les portes, d'un bout à l'autre des trottoirs, comme pour le passage d'une procession. On stationnait dans les carrefours, on s'écrasait dans les cafés et chez les marchands de vin. Et les gamins tiraient des pétards, qui mettaient dans l'air une bonne odeur de poudre.

Je le répète, jamais je n'ai vu Paris plus beau. Ce jour-là, ce fut une rencontre de toutes les joies; du soleil, un dimanche et une victoire. Plus tard, Paris apprit la bataille décisive de Solférino, mais il ne retrouva pas le même enthousiasme, malgré la conclusion immédiate de la paix. Même le jour où les troupes rentrèrent, si la manifestation fut plus solennelle, elle n'eut pas cette spontanéité de joie populaire.

On nous avait donné un congé de deux jours, après Magenta. Nous nous passionnions de plus en plus, nous fûmes de ceux qui trouvèrent la paix trop hâtive. L'année scolaire tirait à sa fin, les vacances arrivaient, avec leur préoccupation enfiévrée de liberté, et l'Italie, l'armée, les victoires, tout disparut alors dans la débandade de la distribution des prix. Je me souviens que, cette année-là, je devais aller passer les vacances dans le midi. Comme j'étais sur le point de partir, vers les premiers jours d'août, Julien me supplia de rester jusqu'au 14, date à laquelle avait été fixée la rentrée triomphale des troupes. Il était bien joyeux: Louis revenait avec le grade de sergent, et il voulait que j'assistasse au triomphe de son frère. Je lui promis de rester.

On faisait de grands préparatifs pour recevoir l'armée, campée depuis quelques jours aux portes mêmes de Paris. Elle devait arriver par la place de la Bastille, suivre toute la ligne des boulevards, descendre la rue de la Paix et traverser la place Vendôme. Les boulevards étaient ornés de bannières. On avait construit, sur la place Vendôme, d'immenses estrades pour les corps de l'État et les invités. Le temps fut splendide. Quand les troupes parurent, le long des boulevards, une immense acclamation retentit. Sur les deux trottoirs, la foule s'écrasait. Des têtes s'entassaient aux fenêtres. Et les femmes agitaient leurs mouchoirs, un grand nombre jetèrent aux soldats les bouquets de leur corsage. Cependant, les régiments défilaient toujours, du même pas cadencé, au milieu de bravos frénétiques. Les musiques jouaient, les drapeaux battaient dans le soleil. Plusieurs, troués de balles, furent applaudis, un surtout en lambeaux et décoré. Au coin de la rue du Temple, une vieille femme se lança tête baissée dans les rangs, pour aller embrasser un caporal, son fils sans doute. On faillit porter cette brave mère en triomphe. Des soldats pleuraient.

Place Vendôme eut lieu la cérémonie officielle. Des dames en grande toilette, des magistrats en robes, des fonctionnaires en uniformes, applaudissaient avec plus de gravité. Il y eut des présentations et des compliments. Le soir, au Louvre, dans la salle des États, l'Empereur donna un banquet de trois cents couverts. Au dessert, en portant un toast qui est resté célèbre, il s'écria: «Si la France a tant fait pour un peuple ami, que ne ferait-elle pas pour son indépendance?» Parole imprudente, qu'il a dû regretter plus tard.

Julien et moi, nous avions vu défiler les troupes d'une fenêtre du boulevard Poissonnière. Il était la veille au camp, il avait indiqué à Louis où nous serions. Aussi, lorsque son régiment passa, Louis leva-t-il la tête, pour nous saluer d'un signe. Il était très vieilli, avec une figure brune et maigre. J'eus peine à le reconnaître. Il avait l'air d'un homme, à côté de nous, fluets et blancs comme des femmes. Julien le suivit du regard aussi loin qu'il put, et je l'entendis murmurer, les yeux en pleurs, secoué d'une émotion nerveuse:

— C'est beau... c'est beau...

Le soir, je les retrouvai tous deux dans un café du Quartier Latin. C'était une étroite salle, perdue au fond d'une ruelle, où nous allions d'habitude parce que nous y étions seuls et que nous pouvions y causer à l'aise. Quand j'arrivai, Julien, les deux coudes sur la table, écoutait déjà Louis qui parlait de Solférino. Il disait que jamais bataille n'avait été moins prévue. On croyait que les Autrichiens se repliaient, et les armées alliées marchaient en avant lorsque, le 24, brusquement, vers cinq heures du matin, on avait entendu le canon: c'étaient les Autrichiens qui, faisant volte-face, nous attaquaient. Alors avait commencé une série de combats, chaque division donnant à son tour. Toute la journée, les généraux s'étaient battus isolément, sans avoir aucune idée nette sur l'ensemble de la lutte. Louis avait pris part à un corps à corps terrible, dans un cimetière, au milieu des tombes; et c'était même là tout ce qu'il avait vu. Il parla aussi de l'effroyable orage qui avait éclaté vers le soir. Le ciel s'en mêlait, le tonnerre fit taire le canon. Les Autrichiens durent abandonner la place, sous un véritable déluge. On se canonnait depuis seize heures, et la nuit qui suivit fut pleine d'angoisse, car les soldats ignoraient de quel côté au juste était la victoire, et à chaque bruit dans l'ombre, ils croyaient que la bataille recommençait.

Pendant ce long récit, Julien regardait toujours son frère. Peut-être n'écoutait-il pas, heureux simplement de l'avoir devant lui. Je n'oublierai jamais la soirée que j'ai passée de la sorte, dans ce café borgne, si paisible, d'où l'on entendait le grondement de Paris en fête, tandis que Louis nous promenait à travers les champs sanglants de Solférino. Quand il eut fini, Julien dit tranquillement:

— Enfin, tu es là, qu'importe le reste!

III

Onze ans plus tard, en 1870, nous étions des hommes. Louis avait le grade de capitaine. Julien, après des tentatives diverses, s'était résigné à mener la vie oisive et si occupée des Parisiens riches, qui fréquentent le monde des lettres et des arts, sans jamais toucher eux-mêmes à une plume ni à un pinceau. Pour tout dire, il avait publié un recueil de vers, d'une bonne moyenne, et s'en était tenu là. Je le voyais parfois, il me donnait des nouvelles de son frère, qui menait en province la vie de garnison.

Au premier bruit d'une guerre avec l'Allemagne, l'émotion fut grande. Si Napoléon III jeta la France dans cette guerre, par un intérêt dynastique, il faut ajouter que la nation entière répondit à son appel. Je dis ce que j'ai vu et ressenti autour de moi. Les têtes s'échauffaient, on réclamait nos frontières naturelles du Rhin, on parlait de venger Waterloo, qui était resté comme un poids sur toutes les poitrines. Qu'une victoire eût ouvert la campagne, et la France aurait certainement acclamé cette guerre qu'elle devait maudire. Certes, Paris eût éprouvé une déception, si la paix avait été maintenue, après les séances orageuses du Corps législatif. Le jour où la lutte devint inévitable, tous les cœurs battirent. Je ne parle pas des scènes qui eurent lieu, le soir, sur les boulevards, des bandes hurlantes, des cris poussés par des gens, payés peut-être, comme on l'a prétendu plus tard. Je dis seulement que de très honnêtes bourgeois, la grande majorité, pointaient déjà sur des cartes les étapes de nos armées, jusqu'à Berlin. On allait reconduire les Prussiens à coups de crosse. Cette confiance absolue dans la victoire nous venait de l'époque où nos soldats s'étaient promenés en conquérants dans l'Europe entière. Aujourd'hui, nous sommes bien guéris de cette fanfaronnade patriotique et dangereuse!

Un soir, sur le boulevard des Capucines, comme je regardais passer des cohues d'hommes en blouse, qui hurlaient: «A Berlin! à Berlin!», je me sentis frapper sur l'épaule. C'était Julien. Il était très sombre. Je lui reprochai en riant son manque d'enthousiasme.

— Nous serons battus, me dit-il simplement.

Je me récriai. Mais lui hochait la tête, sans donner de raisons. Il sentait cela, disait-il. Je lui parlai de son frère, qui était déjà à Metz, avec son régiment. Alors, il me montra une lettre qu'il avait reçue la veille, une lettre pleine de gaîté, dans laquelle Louis disait qu'il serait mort de la vie de garnison, si une campagne ne l'en avait tiré. Il jurait de revenir colonel et décoré.

Et comme je me servais de cette lettre pour combattre les idées noires de Julien, celui-ci se contenta de répéter:

— Nous sommes battus!

L'anxiété de Paris recommença. Je connaissais ce silence recueilli de la grande ville, je l'avais déjà entendu en 1859, avant les premières hostilités de la campagne d'Italie. Mais, cette fois, le silence me parut plus frissonnant. Personne ne semblait douter de la victoire. Pourtant, des bruits mauvais couraient, venus on ne savait d'où. On s'étonnait que nos armées n'eussent pas pris l'offensive, en portant tout de suite la lutte sur le territoire ennemi.

Un après-midi, à la Bourse, une grande nouvelle éclata: nous avions remporté une immense victoire, pris un nombre considérable de canons, fait prisonnier tout un corps d'armée. Déjà les maisons se pavoisaient, les passants s'embrassaient dans les rues, lorsqu'on dut reconnaître la fausseté de la nouvelle. Il n'y avait pas eu de bataille. La victoire m'avait paru naturelle, dans l'ordre prévu des choses, mais ce brusque démenti, cette duperie d'un peuple qui se réjouit trop vite et doit remettre son enthousiasme à un autre jour, me fit froid au cœur. J'éprouvai tout à coup une immense tristesse, je sentis passer sur nos têtes le frisson d'un désastre sans exemple.

Toujours, je me rappellerai le dimanche sinistre. C'était encore un dimanche, et bien des gens durent évoquer le dimanche rayonnant de Magenta. On était aux premiers jours d'août, le ciel n'avait plus la gaîté jeune du mois de juin. Il faisait très lourd, de grands lambeaux de nuages orageux pesaient sur la ville. Je revenais d'une petite ville de Normandie, et je fus particulièrement frappé de l'aspect funèbre de Paris. Les dimanches d'été sont graves parfois, avec les rues désertes et les boutiques fermées. Mais ce dimanche-là avait une pesanteur de désespoir extraordinaire. Sur les boulevards, des groupes de trois ou quatre personnes stationnaient, parlant à voix basse. Enfin, je sus l'abominable nouvelle, nous venions d'être écrasés à Frœschviller, et le torrent de l'invasion coulait en France.

Jamais je n'ai vu une consternation si profonde. Paris entier était dans la stupeur. Comment, était-ce possible? Nous étions vaincus! La défaite nous semblait injuste et monstrueuse. Elle ne nous frappait pas seulement dans notre patriotisme, elle détruisait en nous une foi. Nous ne pouvions alors mesurer toutes les conséquences désastreuses de ce revers, nous espérions encore que nos soldats prendraient leur revanche; et pourtant nous restions anéantis. Il y avait une grande honte dans le silence désolé de la ville.

La journée et la soirée furent atroces. Ce n'était plus la gaîté publique des jours de victoire. Les femmes ne souriaient plus d'un air tendre, et l'on ne fraternisait plus d'un groupe à un autre. La nuit tomba toute noire, sur cette population désespérée. Pas un pétard dans les rues, pas un lampion aux fenêtres. Le lendemain matin, de bonne heure, je vis un régiment qui suivait les boulevards. Des gens s'arrêtaient d'un air morne, et les soldats passaient la tête basse, comme s'ils avaient pris leur part de la défaite. Rien ne m'attrista comme ce régiment que personne n'acclamait, à cette même place où j'avais vu défiler triomphalement l'armée d'Italie, tandis que les applaudissements de la foule faisaient trembler les maisons.

Alors commencèrent les jours maudits d'anxiété. J'allais, toutes les deux ou trois heures, à la porte de la mairie du neuvième arrondissement, rue Drouot, où l'on affichait les dépêches. Il y avait toujours là des rassemblements, une centaine de personnes qui attendaient. La foule souvent refluait jusqu'au boulevard. Et ces groupes n'avaient rien de bruyant, on parlait à demi-voix, comme dans la chambre d'un malade. Dès qu'un employé apparaissait pour mettre dans le tableau une dépêche manuscrite, on se précipitait. Mais, depuis longtemps, les nouvelles étaient constamment mauvaises, et la consternation grandissait. Aujourd'hui encore je ne puis passer rue Drouot sans songer à ces jours de deuil. C'est là, sur ce trottoir, que les Parisiens ont enduré la plus longue, la plus abominable des tortures. D'heure en heure, on entendait le galop des armées allemandes se rapprocher de Paris.

Je voyais très souvent Julien. Il ne triomphait pas devant moi d'avoir prévu la défaite. Seulement, il semblait trouver logique et naturel tout ce qui arrivait.

Beaucoup de Parisiens haussaient encore les épaules, quand on parlait du siège de Paris. Est-ce qu'on pouvait assiéger Paris? Et certains démontraient d'une façon mathématique que l'investissement était impossible. Julien, par une sorte de prescience qui m'a frappé plus tard, annonçait que le 20 septembre nous serions bloqués. Il était resté l'écolier auquel les exercices du corps répugnaient étrangement. Toute cette guerre, en le dérangeant de ses habitudes, le mettait hors de lui. Pourquoi se battre, grand Dieu! et il levait les mains au ciel, dans un geste suprême de protestation. Cependant, il lisait les dépêches avec avidité.

— Si Louis n'était pas là-bas, répétait-il, je ferais des vers en attendant la fin de la bagarre.

De loin en loin, il recevait une lettre de Louis. Les nouvelles étaient exécrables, l'armée se décourageait. Le jour où la bataille de Borny fut connue, je rencontrai Julien au coin de la rue Drouot. Ce jour-là, Paris eut un instant d'espoir. On parlait d'un succès. Lui, au contraire, me parut plus assombri que de coutume. Il avait lu quelque part que le régiment de son frère s'était héroïquement comporté, mais qu'il avait subi des pertes cruelles.

Trois jours après, un ami commun vint m'apprendre l'affreuse nouvelle. Une lettre, la veille, avait annoncé à Julien la mort de son frère, tué à Borny par un éclat d'obus. Je courus immédiatement chez le pauvre garçon; mais je ne trouvai personne. Le lendemain matin, j'étais encore au lit, lorsqu'un grand jeune homme, habillé en franc-tireur, entra. C'était Julien. J'hésitais à le reconnaître. Puis, je le serrai dans mes bras, je l'embrassai de tout mon cœur, les yeux pleins de larmes. Lui ne pleurait pas. Il s'assit un instant, il fit un geste comme pour arrêter mes consolations.

— Voilà, me dit-il tranquillement, j'ai voulu te dire adieu. Maintenant que je suis seul, je m'ennuierais à ne rien faire... Alors, comme j'ai appris qu'une compagnie franche allait partir, je me suis engagé hier... Ça va m'occuper.

— Et quand quittes-tu Paris, lui demandai-je?

— Mais dans deux heures... Adieu!

Et à son tour, il m'embrassa. Je n'osai le questionner davantage. Il partit, son souvenir ne me quitta plus.

Après le désastre de Sedan, quelques jours après l'investissement de Paris, j'eus des nouvelles de lui. Un de ses camarades vint m'apprendre que ce garçon si blanc et si fluet se battait comme un loup. Il faisait aux Prussiens une guerre de sauvage, guettant derrière les buissons, se servant du couteau plus que de son fusil. Pendant des nuits entières, il restait à l'affût, il attendait les hommes comme un gibier, trouait la gorge de tous ceux qui passaient à sa portée. Ce récit me bouleversa. Je ne reconnaissais plus Julien, je me demandais s'il était possible que ce poète nerveux fût devenu un boucher.

Puis, Paris fut isolé du reste du monde. Le siège commença, avec ses somnolences et ses fièvres. Je ne pouvais sortir sans me rappeler Aix, par les soirs d'hiver. Les rues étaient désertes, les maisons s'endormaient de bonne heure. Il y avait bien, au loin, des bruits de canon, de fusillade; mais ces bruits étaient comme perdus dans le silence morne de l'immense ville. Certains jours, lorsque passait un brusque souffle d'espoir, toute la population s'éveillait, oubliant les longues stations devant les boulangers, le rationnement, les cheminées froides, les obus qui pleuvaient sur les quartiers de la rive gauche. Puis, un désastre nouveau stupéfiait la foule, et le silence recommençait, ce silence d'une agonie de capitale. J'ai vu, pourtant, pendant ce long siège, des coins de bonheur tranquille, des petits rentiers qui n'avaient pas abandonné leur habituelle promenade au pâle soleil d'hiver, des amoureux qui se souriaient dans une chambre perdue du faubourg, sans entendre le canon. On vivait au jour le jour. Toutes les illusions étaient par terre, et l'on comptait sur des miracles, un secours venu des armées de province, une sortie en masse de la population, quelque intervention prodigieuse qui se produirait à l'heure marquée.

J'étais un jour aux avant-postes lorsqu'on amena un homme qu'on avait trouvé dans un fossé. Je reconnus Julien. Il se fit conduire près d'un général, auquel il donna de nombreux renseignements. Je ne l'avais pas quitté et nous passâmes la nuit ensemble. Depuis septembre, il n'avait plus couché dans un lit, s'entêtant à son métier d'égorgeur. Il fut très sobre de détails, haussant les épaules, me disant que toutes ses expéditions se ressemblaient: il les tuait comme il pouvait, à coups de fusil, ou à coups de couteau. Selon lui, c'était en somme une vie très monotone, beaucoup moins dangereuse qu'on ne croyait. Il n'avait couru un danger réel qu'un jour où des Français l'avaient pris pour un espion et avaient voulu le fusiller.

Le lendemain, il parla de repartir, à travers champs, à travers bois. Je le conjurai de rester dans Paris. Il était assis, chez moi, il ne semblait pas m'écouter. Puis, il dit tout d'un coup:

— Tu as raison, c'est assez... J'en ai tué mon compte.

Deux jours plus tard, il m'annonça qu'il venait de s'engager dans les chasseurs à pied. Je fus stupéfait. N'avait-il donc pas assez vengé son frère? L'idée de la patrie s'était-elle éveillée en lui? Et, comme je souriais en le regardant:

— Je remplace Louis, je ne puis être que soldat, me dit-il simplement. Ah! la poudre grise! La patrie, vois-tu, c'est la terre où dorment ceux que nous avons aimés.

L'ATTAQUE DU MOULIN

I

Le moulin du père Merlier, par cette belle soirée d'été, était en grande fête. Dans la cour, on avait mis trois tables, placées bout à bout, et qui attendaient les convives. Tout le pays savait qu'on devait fiancer, ce jour-là, la fille Merlier, Françoise, avec Dominique, un garçon qu'on accusait de fainéantise, mais que les femmes, à trois lieues à la ronde, regardaient avec des yeux luisants, tant il avait bon air.

Ce moulin du père Merlier était une vraie gaîté. Il se trouvait juste au milieu de Rocreuse, à l'endroit où la grand'route fait un coude. Le village n'a qu'une rue, deux files de masures, une file à chaque bord de la route; mais là, au coude, des prés s'élargissent, de grands arbres, qui suivent le cours de la Morelle, couvrent le fond de la vallée d'ombrages magnifiques. Il n'y a pas, dans toute la Lorraine, un coin de nature plus adorable. A droite et à gauche, des bois épais, des futaies séculaires montent des pentes douces, emplissent l'horizon d'une mer de verdure; tandis que, vers le midi, la plaine s'étend, d'une fertilité merveilleuse, déroulant à l'infini des pièces de terre coupées de haies vives. Mais ce qui fait surtout le charme de Rocreuse, c'est la fraîcheur de ce trou de verdure, aux journées les plus chaudes de juillet et d'août. La Morelle descend des bois de Gagny, et il semble qu'elle prenne le froid des feuillages sous lesquels elle coule pendant des lieues; elle apporte les bruits murmurants, l'ombre glacée et recueillie des forêts. Et elle n'est point la seule fraîcheur: toutes sortes d'eaux courantes chantent sous les bois; à chaque pas, des sources jaillissent; on sent, lorsqu'on suit les étroits sentiers, comme des lacs souterrains qui percent sous la mousse et profitent des moindres fentes, au pied des arbres, entre les roches, pour s'épancher en fontaines cristallines. Les voix chuchotantes de ces ruisseaux s'élèvent si nombreuses et si hautes, qu'elles couvrent le chant des bouvreuils. On se croirait dans quelque parc enchanté, avec des cascades tombant de toutes parts.

En bas, les prairies sont trempées. Des marronniers gigantesques font des ombres noires. Au bord des prés, de longs rideaux de peupliers alignent leurs tentures bruissantes. Il y a deux avenues d'énormes platanes qui montent, à travers champs, vers l'ancien château de Gagny, aujourd'hui en ruines. Dans cette terre continuellement arrosée, les herbes grandissent démesurément. C'est comme un fond de parterre entre les deux coteaux boisés, mais de parterre naturel, dont les prairies sont les pelouses, et dont les arbres géants dessinent les colossales corbeilles. Quand le soleil, à midi, tombe d'aplomb, les ombres bleuissent, les herbes allumées dorment dans la chaleur, tandis qu'un frisson glacé passe sous les feuillages.

Et c'était là que le moulin du père Merlier égayait de son tic-tac un coin de verdures folles. La bâtisse, faite de plâtre et de planches, semblait vieille comme le monde. Elle trempait à moitié dans la Morelle, qui arrondit à cet endroit un clair bassin. Une écluse était ménagée, la chute tombait de quelques mètres sur la roue du moulin, qui craquait en tournant, avec la toux asthmatique d'une fidèle servante vieillie dans la maison. Quand on conseillait au père Merlier de la changer, il hochait la tête en disant qu'une jeune roue serait plus paresseuse et ne connaîtrait pas si bien le travail; et il raccommodait l'ancienne avec tout ce qui lui tombait sous la main, des douves de tonneau, des ferrures rouillées, du zinc, du plomb. La roue en paraissait plus gaie, avec son profil devenu étrange, toute empanachée d'herbes et de mousses. Lorsque l'eau la battait de son flot d'argent, elle se couvrait de perles, on voyait passer son étrange carcasse sous une parure éclatante de colliers de nacre.

La partie du moulin qui trempait ainsi dans la Morelle, avait l'air d'une arche barbare, échouée là. Une bonne moitié du logis était bâtie sur des pieux. L'eau entrait sous le plancher, il y avait des trous, bien connus dans le pays pour les anguilles et les écrevisses énormes qu'on y prenait. En dessous de la chute, le bassin était limpide comme un miroir, et lorsque la roue ne le troublait pas de son écume, on apercevait des bandes de gros poissons qui nageaient avec des lenteurs d'escadre. Un escalier rompu descendait à la rivière, près d'un pieu où était amarrée une barque. Une galerie de bois passait au-dessus de la roue. Des fenêtres s'ouvraient, percées irrégulièrement. C'était un pêle-mêle d'encoignures, de petites murailles, de constructions ajoutées après coup, de poutres et de toitures qui donnaient au moulin un aspect d'ancienne citadelle démantelée. Mais des lierres avaient poussé, toutes sortes de plantes grimpantes bouchaient les crevasses trop grandes et mettaient un manteau vert à la vieille demeure. Les demoiselles qui passaient, dessinaient sur leurs albums le moulin du père Merlier.

Du côté de la route, la maison était plus solide. Un portail en pierre s'ouvrait sur la grande cour, que bordaient à droite et à gauche des hangars et des écuries. Près d'un puits, un orme immense couvrait de son ombre la moitié de la cour. Au fond, la maison alignait les quatre fenêtres de son premier étage, surmonté d'un colombier. La seule coquetterie du père Merlier était de faire badigeonner cette façade tous les dix ans. Elle venait justement d'être blanchie, et elle éblouissait le village, lorsque le soleil l'allumait, au milieu du jour.

Depuis vingt ans, le père Merlier était maire de Rocreuse. On l'estimait pour la fortune qu'il avait su faire. On lui donnait quelque chose comme quatre-vingt mille francs, amassés sou à sou. Quand il avait épousé Madeleine Guillard, qui lui apportait en dot le moulin, il ne possédait guère que ses deux bras. Mais Madeleine ne s'était jamais repentie de son choix, tant il avait su mener gaillardement les affaires du ménage. Aujourd'hui la femme était défunte, il restait veuf avec sa fille Françoise. Sans doute, il aurait pu se reposer, laisser la roue du moulin dormir dans la mousse; mais il se serait trop ennuyé, et la maison lui aurait semblé morte. Il travaillait toujours, pour le plaisir. Le père Merlier était alors un grand vieillard, à longue figure silencieuse, qui ne riait jamais, mais qui était tout de même très gai en dedans. On l'avait choisi pour maire, à cause de son argent et aussi pour le bel air qu'il savait prendre, lorsqu'il faisait un mariage.

Françoise Merlier venait d'avoir dix-huit ans. Elle ne passait pas pour une des belles filles du pays, parce qu'elle était chétive. Jusqu'à quinze ans, elle avait même été laide. On ne pouvait pas comprendre, à Rocreuse, comment la fille du père et de la mère Merlier, tous deux si bien plantés, poussait mal et d'un air de regret. Mais à quinze ans, tout en restant délicate, elle prit une petite figure, la plus jolie du monde. Elle avait des cheveux noirs, des yeux noirs, et elle était toute rose avec ça; une bouche qui riait toujours, des trous dans les joues, un front clair où il y avait comme une couronne de soleil. Quoique chétive pour le pays, elle n'était pas maigre, loin de là; on voulait dire simplement qu'elle n'aurait pas pu lever un sac de blé; mais elle devenait toute potelée, avec l'âge elle devait finir par être ronde et friande comme une caille. Seulement, les longs silences de son père l'avaient rendue raisonnable très jeune. Si elle riait toujours, c'était pour faire plaisir aux autres. Au fond, elle était sérieuse.

Naturellement, tout le pays la courtisait, plus encore pour ses écus que pour sa gentillesse. Et elle avait fini par faire un choix, qui venait de scandaliser la contrée. De l'autre côté de la Morelle, vivait un grand garçon, que l'on nommait Dominique Penquer. Il n'était pas de Rocreuse. Dix ans auparavant, il était arrivé de Belgique pour hériter d'un oncle, qui possédait un petit bien, sur la lisière même de la forêt de Gagny, juste en face du moulin, à quelques portées de fusil. Il venait pour vendre ce bien, disait-il, et retourner chez lui. Mais le pays le charma, paraît-il, car il n'en bougea plus. On le vit cultiver son bout de champ, récolter quelques légumes dont il vivait. Il pêchait, il chassait; plusieurs fois, les gardes faillirent le prendre et lui dresser des procès-verbaux. Cette existence libre, dont les paysans ne s'expliquaient pas bien les ressources, avait fini par lui donner un mauvais renom. On le traitait vaguement de braconnier. En tout cas, il était paresseux, car on le trouvait souvent endormi dans l'herbe, à des heures où il aurait dû travailler. La masure qu'il habitait, sous les derniers arbres de la forêt, ne semblait pas non plus la demeure d'un honnête garçon. Il aurait eu un commerce avec les loups des ruines de Gagny, que cela n'aurait point surpris les vieilles femmes. Pourtant, les jeunes filles, parfois, se hasardaient à le défendre, car il était superbe, cet homme louche, souple et grand comme un peuplier, très blanc de peau, avec une barbe et des cheveux blonds qui semblaient de l'or au soleil. Or, un beau matin, Françoise avait déclaré au père Merlier qu'elle aimait Dominique et que jamais elle ne consentirait à épouser un autre garçon.

On pense quel coup de massue le père Merlier reçut, ce jour-là! Il ne dit rien, selon son habitude. Il avait son visage réfléchi; seulement, sa gaîté intérieure ne luisait plus dans ses yeux. On se bouda pendant une semaine. Françoise, elle aussi, était toute grave. Ce qui tourmentait le père Merlier, c'était de savoir comment ce gredin de braconnier avait bien pu ensorceler sa fille. Jamais Dominique n'était venu au moulin. Le meunier guetta et il aperçut le galant, de l'autre côté de la Morelle, couché dans l'herbe et feignant de dormir. Françoise, de sa chambre, pouvait le voir. La chose était claire, ils avaient dû s'aimer, en se faisant les doux yeux par-dessus la roue du moulin.

Cependant, huit autres jours s'écoulèrent. Françoise devenait de plus en plus grave. Le père Merlier ne disait toujours rien. Puis, un soir, silencieusement, il amena lui-même Dominique. Françoise, justement, mettait la table. Elle ne parut pas étonnée, elle se contenta d'ajouter un couvert; seulement, les petits trous de ses joues venaient de se creuser de nouveau, et son rire avait reparu. Le matin, le père Merlier était allé trouver Dominique dans sa masure, sur la lisière du bois. Là, les deux hommes avaient causé pendant trois heures, les portes et les fenêtres fermées. Jamais personne n'a su ce qu'ils avaient pu se dire. Ce qu'il y a de certain, c'est que le père Merlier en sortant traitait déjà Dominique comme son fils. Sans doute, le vieillard avait trouvé le garçon qu'il était allé chercher, un brave garçon, dans ce paresseux qui se couchait sur l'herbe pour se faire aimer des filles.

Tout Rocreuse clabauda. Les femmes, sur les portes, ne tarissaient pas au sujet de la folie du père Merlier, qui introduisait ainsi chez lui un garnement. Il laissa dire. Peut-être s'était-il souvenu de son propre mariage. Lui non plus ne possédait pas un sou vaillant, lorsqu'il avait épousé Madeleine et son moulin; cela pourtant ne l'avait point empêché de faire un bon mari. D'ailleurs, Dominique coupa court aux cancans, en se mettant si rudement à la besogne, que le pays en fut émerveillé. Justement le garçon du moulin était tombé au sort, et jamais Dominique ne voulut qu'on en engageât un autre. Il porta les sacs, conduisit la charrette, se battit avec la vieille roue, quand elle se faisait prier pour tourner, tout cela d'un tel cœur, qu'on venait le voir par plaisir. Le père Merlier avait son rire silencieux. Il était très fier d'avoir deviné ce garçon. Il n'y a rien comme l'amour pour donner du courage aux jeunes gens.

Au milieu de toute cette grosse besogne, Françoise et Dominique s'adoraient. Ils ne se parlaient guère, mais ils se regardaient avec une douceur souriante. Jusque-là, le père Merlier n'avait pas dit un seul mot au sujet du mariage; et tous deux respectaient ce silence, attendant la volonté du vieillard. Enfin, un jour, vers le milieu de juillet, il avait fait mettre trois tables dans la cour, sous le grand orme, en invitant ses amis de Rocreuse à venir le soir boire un coup avec lui. Quand la cour fut pleine et que tout le monde eut le verre en main, le père Merlier leva le sien très haut, en disant:

— C'est pour avoir le plaisir de vous annoncer que Françoise épousera ce gaillard-là dans un mois, le jour de la Saint-Louis.

Alors, on trinqua bruyamment. Tout le monde riait. Mais le père Merlier haussant la voix, dit encore:

— Dominique, embrasse ta promise. Ça se doit.

Et ils s'embrassèrent, très rouges, pendant que l'assistance riait plus fort. Ce fut une vraie fête. On vida un petit tonneau. Puis, quand il n'y eut là que les amis intimes, on causa d'une façon calme. La nuit était tombée, une nuit étoilée et très claire. Dominique et Françoise, assis sur un banc, l'un près de l'autre, ne disaient rien. Un vieux paysan parlait de la guerre que l'empereur avait déclarée à la Prusse. Tous les gars du village étaient déjà partis. La veille, des troupes avaient encore passé. On allait se cogner dur.

— Bah! dit le père Merlier avec l'égoïsme d'un homme heureux,

Dominique est étranger, il ne partira pas... Et si les Prussiens venaient, il serait là pour défendre sa femme.

Cette idée que les Prussiens pouvaient venir parut une bonne plaisanterie. On allait leur flanquer une raclée soignée, et ce serait vite fini.

— Je les ai déjà vus, je les ai déjà vus, répéta d'une voix sourde le vieux paysan.

Il y eut un silence. Puis, on trinqua une fois encore. Françoise et Dominique n'avaient rien entendu; ils s'étaient pris doucement la main, derrière le banc, sans qu'on pût les voir, et cela leur semblait si bon, qu'ils restaient là, les yeux perdus au fond des ténèbres.

Quelle nuit tiède et superbe! Le village s'endormait aux deux bords de la route blanche, dans une tranquillité d'enfant. On n'entendait plus, de loin en loin, que le chant de quelque coq éveillé trop tôt. Des grands bois voisins, descendaient de longues haleines qui passaient sur les toitures comme des caresses. Les prairies, avec leurs ombrages noirs, prenaient une majesté mystérieuse et recueillie, tandis que toutes les sources, toutes les eaux courantes qui jaillissaient dans l'ombre, semblaient être la respiration fraîche et rythmée de la campagne endormie. Par instants, la vieille roue du moulin, ensommeillée, paraissait rêver comme ces vieux chiens de garde qui aboient en ronflant; elle avait des craquements, elle causait toute seule, bercée par la chute de la Morelle, dont la nappe rendait le son musical et continu d'un tuyau d'orgues. Jamais une paix plus large n'était descendue sur un coin plus heureux de nature.

II

Un mois plus tard, jour pour jour, juste la veille de la Saint-Louis, Rocreuse était dans l'épouvante. Les Prussiens avaient battu l'empereur et s'avançaient à marches forcées vers le village. Depuis une semaine, des gens qui passaient sur la route annonçaient les Prussiens: «Ils sont à Lormière, ils sont à Novelles»; et, à entendre dire qu'ils se rapprochaient si vite, Rocreuse, chaque matin, croyait les voir descendre par les bois de Gagny. Ils ne venaient point cependant, cela effrayait davantage. Bien sûr qu'ils tomberaient sur le village pendant la nuit et qu'ils égorgeraient tout le monde.

La nuit précédente, un peu avant le jour, il y avait eu une alerte. Les habitants s'étaient réveillés, en entendant un grand bruit d'hommes sur la route. Les femmes déjà se jetaient à genoux et faisaient des signes de croix, lorsqu'on avait reconnu des pantalons rouges, en entr'ouvrant prudemment les fenêtres. C'était un détachement français. Le capitaine avait tout de suite demandé le maire du pays, et il était resté au moulin, après avoir causé avec le père Merlier.

Le soleil se levait gaîment, ce jour-là. Il ferait chaud, à midi. Sur les bois, une clarté blonde flottait, tandis que dans les fonds, au-dessus des prairies, montaient des vapeurs blanches. Le village, propre et joli, s'éveillait dans la fraîcheur, et la campagne, avec sa rivière et ses fontaines, avait des grâces mouillées de bouquet. Mais cette belle journée ne faisait rire personne. On venait de voir le capitaine tourner autour du moulin, regarder les maisons voisines, passer de l'autre côté de la Morelle, et de là, étudier le pays avec une lorgnette; le père Merlier, qui l'accompagnait, semblait donner des explications. Puis, le capitaine avait posté des soldats derrière des murs, derrière des arbres, dans des trous. Le gros du détachement campait dans la cour du moulin. On allait donc se battre? Et quand le père Merlier revint, on l'interrogea. Il fit un long signe de tête, sans parler. Oui, on allait se battre.

Françoise et Dominique étaient là, dans la cour, qui le regardaient. Il finit par ôter sa pipe de la bouche, et dit cette simple phrase:

— Ah! mes pauvres petits, ce n'est pas demain que je vous marierai!

Dominique, les lèvres serrées, avec un pli de colère au front, se haussait parfois, restait les yeux fixés sur les bois de Gagny, comme s'il eût voulu voir arriver les Prussiens. Françoise, très pâle, sérieuse, allait et venait, fournissant aux soldats ce dont ils avaient besoin. Ils faisaient la soupe dans un coin de la cour, et plaisantaient, en attendant de manger.

Cependant, le capitaine paraissait ravi. Il avait visité les chambres et la grande salle du moulin donnant sur la rivière. Maintenant, assis près du puits, il causait avec le père Merlier.

— Vous avez là une vraie forteresse, disait-il. Nous tiendrons bien jusqu'à ce soir... Les bandits sont en retard. Ils devraient être ici.

Le meunier restait grave. Il voyait son moulin flamber comme une torche. Mais il ne se plaignait pas, jugeant cela inutile. Il ouvrit seulement la bouche pour dire:

— Vous devriez faire cacher la barque derrière la roue. Il y a là un trou où elle tient... Peut-être qu'elle pourra servir.

Le capitaine donna un ordre. Ce capitaine était un bel homme d'une quarantaine d'années, grand et de figure aimable. La vue de Françoise et de Dominique semblait le réjouir. Il s'occupait d'eux, comme s'il avait oublié la lutte prochaine. Il suivait Françoise des yeux, et son air disait clairement qu'il la trouvait charmante. Puis, se tournant vers Dominique:

— Vous n'êtes donc pas à l'armée, mon garçon? lui demanda-t-il brusquement.

— Je suis étranger, répondit le jeune homme.

Le capitaine parut goûter médiocrement cette raison. Il cligna les yeux et sourit. Françoise était plus agréable à fréquenter que le canon. Alors, en le voyant sourire, Dominique ajouta:

— Je suis étranger, mais je loge une balle dans une pomme, à cinq cents mètres... Tenez, mon fusil de chasse est là, derrière vous.

— Il pourra vous servir, répliqua simplement le capitaine.

Françoise s'était approchée, un peu tremblante. Et, sans se soucier du monde qui était là, Dominique prit et serra dans les siennes les deux mains qu'elle lui tendait, comme pour se mettre sous sa protection. Le capitaine avait souri de nouveau, mais il n'ajouta pas une parole. Il demeurait assis, son épée entre les jambes, les yeux perdus, paraissant rêver.

Il était déjà dix heures. La chaleur devenait très forte. Un lourd silence se faisait. Dans la cour, à l'ombre des hangars, les soldats s'étaient mis à manger la soupe. Aucun bruit ne venait du village, dont les habitants avaient tous barricadé leurs maisons, portes et fenêtres. Un chien, resté seul sur la route, hurlait. Des bois et des prairies voisines, pâmés par la chaleur, sortait une voix lointaine, prolongée, faite de tous les souffles épars. Un coucou chanta. Puis, le silence s'élargit encore.

Et, dans cet air endormi, brusquement, un coup de feu éclata. Le capitaine se leva vivement, les soldats lâchèrent leurs assiettes de soupe, encore à moitié pleines. En quelques secondes, tous furent à leur poste de combat; de bas en haut, le moulin se trouvait occupé. Cependant, le capitaine, qui s'était porté sur la route, n'avait rien vu; à droite, à gauche, la route s'étendait, vide et toute blanche. Un deuxième coup de feu se fit entendre, et toujours rien, pas une ombre. Mais, en se retournant, il aperçut du côté de Gagny, entre deux arbres, un léger flocon de fumée qui s'envolait, pareil à un fil de la Vierge. Le bois restait profond et doux.

— Les gredins se sont jetés dans la forêt, murmura-t-il. Ils nous savent ici.

Alors, la fusillade continua, de plus en plus nourrie, entre les soldats français, postés autour du moulin, et les Prussiens, cachés derrière les arbres. Les balles sifflaient au-dessus de la Morelle, sans causer de pertes ni d'un côté ni de l'autre. Les coups étaient irréguliers, partaient de chaque buisson; et l'on n'apercevait toujours que les petites fumées, balancées mollement par le vent. Cela dura près de deux heures. L'officier chantonnait d'un air indifférent. Françoise et Dominique, qui étaient restés dans la cour, se haussaient et regardaient par-dessus une muraille basse. Ils s'intéressaient surtout à un petit soldat, posté au bord de la Morelle, derrière la carcasse d'un vieux bateau; il était à plat ventre, guettait, lâchait son coup de feu, puis se laissait glisser dans un fossé, un peu en arrière, pour recharger son fusil; et ses mouvements étaient si drôles, si rusés, si souples, qu'on se laissait aller à sourire en le voyant. Il dut apercevoir quelque tête de Prussien, car il se leva vivement et épaula; mais, avant qu'il eût tiré, il jeta un cri, tourna sur lui-même et roula dans le fossé, où ses jambes eurent un instant le roidissement convulsif des pattes d'un poulet qu'on égorge. Le petit soldat venait de recevoir une balle en pleine poitrine. C'était le premier mort. Instinctivement, Françoise avait saisi la main de Dominique et la lui serrait, dans une crispation nerveuse.

— Ne restez pas là, dit le capitaine. Les balles viennent jusqu'ici.

En effet, un petit coup sec s'était fait entendre dans le vieil orme, et un bout de branche tombait en se balançant. Mais les deux jeunes gens ne bougèrent pas, cloués par l'anxiété du spectacle. A la lisière du bois, un Prussien était brusquement sorti de derrière un arbre comme d'une coulisse, battant l'air de ses bras et tombant à la renverse. Et rien ne bougea plus, les deux morts semblaient dormir au grand soleil, on ne voyait toujours personne dans la campagne alourdie. Le pétillement de la fusillade lui-même cessa. Seule, la Morelle chuchotait avec son bruit clair.

Le père Merlier regarda le capitaine d'un air de surprise, comme pour lui demander si c'était fini.

— Voilà le grand coup, murmura celui-ci. Méfiez-vous. Ne restez pas là.

Il n'avait pas achevé qu'une décharge effroyable eut lieu. Le grand orme fut comme fauché, une volée de feuilles tournoya. Les Prussiens avaient heureusement tiré trop haut. Dominique entraîna, emporta presque Françoise, tandis que le père Merlier les suivait, en criant:

— Mettez-vous dans le petit caveau, les murs sont solides.

Mais ils ne l'écoutèrent pas, ils entrèrent dans la grande salle, où une dizaine de soldats attendaient en silence, les volets fermés, guettant par des fentes. Le capitaine était resté seul dans la cour, accroupi derrière la petite muraille, pendant que des décharges furieuses continuaient. Au dehors, les soldats qu'il avait postés ne cédaient le terrain que pied à pied. Pourtant, ils rentraient un à un en rampant, quand l'ennemi les avait délogés de leurs cachettes. Leur consigne était de gagner du temps, de ne point se montrer, pour que les Prussiens ne pussent savoir quelles forces ils avaient devant eux. Une heure encore s'écoula. Et, comme un sergent arrivait, disant qu'il n'y avait plus dehors que deux ou trois hommes, l'officier tira sa montre, en murmurant:

— Deux heures et demie... Allons, il faut tenir quatre heures.

Il fit fermer le grand portail de la cour, et tout fut préparé pour une résistance énergique. Comme les Prussiens se trouvaient de l'autre côté de la Morelle, un assaut immédiat n'était pas à craindre. Il y avait bien un pont à deux kilomètres, mais ils ignoraient sans doute son existence, et il était peu croyable qu'ils tenteraient de passer à gué la rivière. L'officier fit donc simplement surveiller la route. Tout l'effort allait porter du côté de la campagne.

La fusillade de nouveau avait cessé. Le moulin semblait mort sous le grand soleil. Pas un volet n'était ouvert, aucun bruit ne sortait de l'intérieur. Peu à peu, cependant, des Prussiens se montraient à la lisière du bois de Gagny. Ils allongeaient la tête, s'enhardissaient. Dans le moulin, plusieurs soldats épaulaient déjà; mais le capitaine cria:

— Non, non, attendez... Laissez-les s'approcher.

Ils y mirent beaucoup de prudence, regardant le moulin d'un air méfiant. Cette vieille demeure, silencieuse et morne, avec ses rideaux de lierre, les inquiétait. Pourtant, ils avançaient. Quand ils furent une cinquantaine dans la prairie, en face, l'officier dit un seul mot:

— Allez!

Un déchirement se fit entendre, des coups isolés suivirent. Françoise, agitée d'un tremblement, avait porté malgré elle les mains à ses oreilles. Dominique, derrière les soldats, regardait; et, quand la fumée se fut un peu dissipée, il aperçut trois Prussiens étendus sur le dos, au milieu du pré. Les autres s'étaient jetés derrière les saules et les peupliers. Et le siège commença.

Pendant plus d'une heure, le moulin fut criblé de balles. Elles en fouettaient les vieux murs comme une grêle. Lorsqu'elles frappaient sur de la pierre, on les entendait s'écraser et retomber à l'eau. Dans le bois, elles s'enfonçaient avec un bruit sourd. Parfois, un craquement annonçait que la roue venait d'être touchée. Les soldats, à l'intérieur, ménageaient leurs coups, ne tiraient que lorsqu'ils pouvaient viser. De temps à autre, le capitaine consultait sa montre. Et, comme une balle fendait un volet et allait se loger dans le plafond:

— Quatre heures, murmura-t-il. Nous ne tiendrons jamais.

Peu à peu, en effet, cette fusillade terrible ébranlait le vieux moulin. Un volet tomba à l'eau, troué comme une dentelle, et il fallut le remplacer par un matelas. Le père Merlier, à chaque instant, s'exposait pour constater les avaries de sa pauvre roue, dont les craquements lui allaient au cœur. Elle était bien finie, cette fois; jamais il ne pourrait la raccommoder. Dominique avait supplié Françoise de se retirer, mais elle voulait rester avec lui; elle s'était assise derrière une grande armoire de chêne, qui la protégeait. Une balle pourtant arriva dans l'armoire, dont les flancs rendirent un son grave. Alors, Dominique se plaça devant Françoise. Il n'avait pas encore tiré, il tenait son fusil à la main, ne pouvant approcher des fenêtres dont les soldats tenaient toute la largeur. A chaque décharge, le plancher tressaillait.

— Attention! attention! cria tout d'un coup le capitaine.

Il venait de voir sortir du bois toute une masse sombre. Aussitôt s'ouvrit un formidable feu de peloton. Ce fut comme une trombe qui passa sur le moulin. Un autre volet partit, et par l'ouverture béante de la fenêtre, les balles entrèrent. Deux soldats roulèrent sur le carreau. L'un ne remua plus; on le poussa contre le mur, parce qu'il encombrait. L'autre se tordit en demandant qu'on l'achevât; mais on ne l'écoutait point, les balles entraient toujours, chacun se garait et tâchait de trouver une meurtrière pour riposter. Un troisième soldat fut blessé; celui-là ne dit pas une parole, il se laissa couler au bord d'une table, avec des yeux fixes et hagards. En face de ces morts, Françoise, prise d'horreur, avait repoussé machinalement sa chaise, pour s'asseoir à terre, contre le mur; elle se croyait là plus petite et moins en danger. Cependant, on était allé prendre tous les matelas de la maison, on avait rebouché à moitié la fenêtre. La salle s'emplissait de débris, d'armes rompues, de meubles éventrés.

— Cinq heures, dit le capitaine. Tenez bon... Ils vont chercher à passer l'eau.

A ce moment, Françoise poussa un cri. Une balle, qui avait ricoché, venait de lui effleurer le front. Quelques gouttes de sang parurent. Dominique la regarda; puis, s'approchant de la fenêtre, il lâcha son premier coup de feu, et il ne s'arrêta plus. Il chargeait, tirait, sans s'occuper de ce qui se passait près de lui; de temps à autre seulement, il jetait un coup d'œil sur Françoise. D'ailleurs, il ne se pressait pas, visait avec soin. Les Prussiens, longeant les peupliers, tentaient le passage de la Morelle, comme le capitaine l'avait prévu; mais, dès qu'un d'entre eux se hasardait, il tombait frappé à la tête par une balle de Dominique. Le capitaine, qui suivait ce jeu, était émerveillé. Il complimenta le jeune homme, en lui disant qu'il serait heureux d'avoir beaucoup de tireurs de sa force. Dominique ne l'entendait pas. Une balle lui entama l'épaule, une autre lui contusionna le bras. Et il tirait toujours.

Il y eut deux nouveaux morts. Les matelas, déchiquetés, ne bouchaient plus les fenêtres. Une dernière décharge semblait devoir emporter le moulin. La position n'était plus tenable. Cependant, l'officier répétait:

— Tenez bon... Encore une demi-heure.

Maintenant, il comptait les minutes. Il avait promis à ses chefs d'arrêter l'ennemi là jusqu'au soir, et il n'aurait pas reculé d'une semelle avant l'heure qu'il avait fixée pour la retraite. Il gardait son air aimable, souriait à Françoise, afin de la rassurer. Lui-même venait de ramasser le fusil d'un soldat mort et faisait le coup de feu.

Il n'y avait plus que quatre soldats dans la salle. Les Prussiens se montraient en masse sur l'autre bord de la Morelle, et il était évident qu'ils allaient passer la rivière d'un moment à l'autre. Quelques minutes s'écoulèrent encore. Le capitaine s'entêtait, ne voulait pas donner l'ordre de la retraite, lorsqu'un sergent accourut, en disant:

— Ils sont sur la route, ils vont nous prendre par derrière.

Les Prussiens devaient avoir trouvé le pont. Le capitaine tira sa montre.

— Encore cinq minutes, dit-il. Ils ne seront pas ici avant cinq minutes.

Puis, à six heures précises, il consentit enfin à faire sortir ses hommes par une petite porte qui donnait sur une ruelle. De là, ils se jetèrent dans un fossé, ils gagnèrent la forêt de Sauval. Le capitaine avait, avant de partir, salué très poliment le père Merlier, en s'excusant. Et il avait même ajouté:

— Amusez-les... Nous reviendrons.

Cependant, Dominique était resté seul dans la salle. Il tirait toujours, n'entendant rien, ne comprenant rien. Il n'éprouvait que le besoin de défendre Françoise. Les soldats étaient partis, sans qu'il s'en doutât le moins du monde. Il visait et tuait son homme à chaque coup. Brusquement, il y eut un grand bruit. Les Prussiens, par derrière, venaient d'envahir la cour. Il lâcha un dernier coup, et ils tombèrent sur lui, comme son fusil fumait encore.

Quatre hommes le tenaient. D'autres vociféraient autour de lui, dans une langue effroyable. Ils faillirent l'égorger tout de suite.

Françoise s'était jetée en avant, suppliante. Mais un officier entra et se fit remettre le prisonnier. Après quelques phrases qu'il échangea en allemand avec les soldats, il se tourna vers Dominique et lui dit rudement, en très bon français:

— Vous serez fusillé dans deux heures.

III

C'était une règle posée par l'état-major allemand: tout Français n'appartenant pas à l'armée régulière et pris les armes à la main, devait être fusillé. Les compagnies franches elles-mêmes n'étaient pas reconnues comme belligérantes. En faisant ainsi de terribles exemples sur les paysans qui défendaient leurs foyers, les Allemands voulaient empêcher la levée en masse, qu'ils redoutaient.

L'officier, un homme grand et sec, d'une cinquantaine d'années, fit subir à Dominique un bref interrogatoire. Bien qu'il parlât le français très purement, il avait une raideur toute prussienne.

— Vous êtes de ce pays?

— Non, je suis Belge.

— Pourquoi avez-vous pris les armes?... Tout ceci ne doit pas vous regarder.

Dominique ne répondit pas. A ce moment, l'officier aperçut Françoise debout et très pâle, qui écoutait; sur son front blanc, sa légère blessure mettait une barre rouge. Il regarda les jeunes gens l'un après l'autre, parut comprendre, et se contenta d'ajouter:

— Vous ne niez pas avoir tiré?

— J'ai tiré tant que j'ai pu, répondit tranquillement Dominique.

Cet aveu était inutile, car il était noir de poudre, couvert de sueur, taché de quelques gouttes de sang qui avaient coulé de l'éraflure de son épaule.

— C'est bien, répéta l'officier. Vous serez fusillé dans deux heures.

Françoise ne cria pas. Elle joignit les mains et les éleva dans un geste de muet désespoir. L'officier remarqua ce geste. Deux soldats avaient emmené Dominique dans une pièce voisine, où ils devaient le garder à vue. La jeune fille était tombée sur une chaise, les jambes brisées; elle ne pouvait pleurer, elle étouffait. Cependant, l'officier l'examinait toujours. Il finit par lui adresser la parole:

— Ce garçon est votre frère? demanda-t-il.

Elle dit non de la tête. Il resta raide, sans un sourire. Puis, au bout d'un silence:

— Il habite le pays depuis longtemps?

Elle dit oui, d'un nouveau signe.

— Alors il doit très bien connaître les bois voisins?

Cette fois, elle parla.

— Oui, monsieur, dit-elle en le regardant avec quelque surprise.

Il n'ajouta rien et tourna sur ses talons, en demandant qu'on lui amenât le maire du village. Mais Françoise s'était levée, une légère rougeur au visage, croyant avoir saisi le but de ses questions et reprise d'espoir. Ce fut elle-même qui courut pour trouver son père.

Le père Merlier, dès que les coups de feu avaient cessé, était vivement descendu par la galerie de bois, pour visiter sa roue. Il adorait sa fille, il avait une solide amitié pour Dominique, son futur gendre; mais sa roue tenait aussi une large place dans son cœur. Puisque les deux petits, comme il les appelait, étaient sortis sains et saufs de la bagarre, il songeait à son autre tendresse, qui avait singulièrement souffert, celle-là. Et, penché sur la grande carcasse de bois, il en étudiait les blessures d'un air navré. Cinq palettes étaient en miettes, la charpente centrale était criblée. Il fourrait les doigts dans les trous des balles, pour en mesurer la profondeur; il réfléchissait à la façon dont il pourrait réparer toutes ces avaries. Françoise le trouva qui bouchait déjà des fentes avec des débris et de la mousse.

— Père, dit-elle, ils vous demandent.

Et elle pleura enfin, en lui contant ce qu'elle venait d'entendre. Le père Merlier hocha la tête. On ne fusillait pas les gens comme ça. Il fallait voir. Et il rentra dans le moulin, de son air silencieux et paisible. Quand l'officier lui eut demandé des vivres pour ses hommes, il répondit que les gens de Rocreuse n'étaient pas habitués à être brutalisés, et qu'on n'obtiendrait rien d'eux si l'on employait la violence. Il se chargeait de tout, mais à la condition qu'on le laissât agir seul. L'officier parut se fâcher d'abord de ce ton tranquille; puis, il céda, devant les paroles brèves et nettes du vieillard. Même il le rappela, pour lui demander:

— Ces bois-là, en face, comment les nommez-vous?

— Les bois de Sauval.

— Et quelle est leur étendue?

Le meunier le regarda fixement.

— Je ne sais pas, répondit-il.

Et il s'éloigna. Une heure plus tard, la contribution de guerre en vivres et en argent réclamée par l'officier était dans la cour du moulin. La nuit venait, Françoise suivait avec anxiété les mouvements des soldats. Elle ne s'éloignait pas de la pièce dans laquelle était enfermé

Dominique. Vers sept heures, elle eut une émotion poignante; elle vit l'officier entrer chez le prisonnier, et, pendant un quart d'heure, elle entendit leurs voix qui s'élevaient. Un instant, l'officier reparut sur le seuil pour donner un ordre en allemand, qu'elle ne comprit pas; mais, lorsque douze hommes furent venus se ranger dans la cour, le fusil au bras, un tremblement la saisit, elle se sentit mourir. C'en était donc fait; l'exécution allait avoir lieu. Les douze hommes restèrent là dix minutes, la voix de Dominique continuait à s'élever sur un ton de refus violent. Enfin, l'officier sortit, en fermant brutalement la porte et en disant:

— C'est bien, réfléchissez... Je vous donne jusqu'à demain matin.

Et, d'un geste, il fit rompre les rangs aux douze hommes. Françoise restait hébétée. Le père Merlier, qui avait continué de fumer sa pipe, en regardant le peloton d'un air simplement curieux, vint la prendre par le bras, avec une douceur paternelle. Il l'emmena dans sa chambre.

— Tiens-toi tranquille, lui dit-il, tâche de dormir... Demain, il fera jour, et nous verrons.

En se retirant, il l'enferma par prudence. Il avait pour principe que les femmes ne sont bonnes à rien, et qu'elles gâtent tout, lorsqu'elles s'occupent d'une affaire sérieuse. Cependant Françoise ne se coucha pas. Elle demeura longtemps assise sur son lit, écoutant les rumeurs de la maison. Les soldats allemands, campés dans la cour, chantaient et riaient; ils durent manger et boire jusqu'à onze heures, car le tapage ne cessa pas un instant. Dans le moulin même, des pas lourds résonnaient de temps à autre, sans doute des sentinelles qu'on relevait. Mais, ce qui l'intéressait surtout, c'étaient les bruits qu'elle pouvait saisir dans la pièce qui se trouvait sous sa chambre. Plusieurs fois elle se coucha par terre, elle appliqua son oreille contre le plancher. Cette pièce était justement celle où l'on avait enfermé Dominique. Il devait marcher du mur à la fenêtre, car elle entendit longtemps la cadence régulière de sa promenade; puis, il se fit un grand silence, il s'était sans doute assis. D'ailleurs, les rumeurs cessaient, tout s'endormait. Quand la maison lui parut s'assoupir, elle ouvrit sa fenêtre le plus doucement possible, elle s'accouda.

Au dehors, la nuit avait une sérénité tiède. Le mince croissant de la lune, qui se couchait derrière les bois de Sauval, éclairait la campagne d'une lueur de veilleuse. L'ombre allongée des grands arbres barrait de noir les prairies, tandis que l'herbe, aux endroits découverts, prenait une douceur de velours verdâtre. Mais Françoise ne s'arrêtait guère au charme mystérieux de la nuit. Elle étudiait la campagne, cherchant les sentinelles que les Allemands avaient dû poster de côté. Elle voyait parfaitement leurs ombres s'échelonner le long de la Morelle. Une seule se trouvait devant le moulin, de l'autre côté de la rivière, près d'un saule dont les branches trempaient dans l'eau. Françoise la distinguait parfaitement. C'était un grand garçon qui se tenait immobile, la face tournée vers le ciel, de l'air rêveur d'un berger.

Alors, quand elle eut ainsi inspecté les lieux avec soin, elle revint s'asseoir sur son lit. Elle y resta une heure, profondément absorbée. Puis elle écouta de nouveau: la maison n'avait plus un souffle. Elle retourna à la fenêtre, jeta un coup d'œil; mais sans doute une des cornes de la lune qui apparaissait encore derrière les arbres, lui parut gênante, car elle se remit à attendre. Enfin, l'heure lui sembla venue. La nuit était toute noire, elle n'apercevait plus la sentinelle en face, la campagne s'étalait comme une mare d'encre. Elle tendit l'oreille un instant et se décida. Il y avait là, passant près de la fenêtre, une échelle de fer, des barres scellées dans le mur, qui montait de la roue au grenier, et qui servait autrefois aux meuniers pour visiter certains rouages; puis, le mécanisme avait été modifié, depuis longtemps l'échelle disparaissait sous les lierres épais qui couvraient ce côté du moulin.

Françoise, bravement, enjamba la balustrade de sa fenêtre, saisit une des barres de fer et se trouva dans le vide. Elle commença à descendre. Ses jupons l'embarrassaient beaucoup. Brusquement, une pierre se détacha de la muraille et tomba dans la Morelle avec un rejaillissement sonore. Elle s'était arrêtée, glacée d'un frisson. Mais elle comprit que la chute d'eau, de son ronflement continu, couvrait à distance tous les bruits qu'elle pouvait faire, et elle descendit alors plus hardiment, tâtant le lierre du pied, s'assurant des échelons. Lorsqu'elle fut à la hauteur de la chambre qui servait de prison à Dominique, elle s'arrêta. Une difficulté imprévue faillit lui faire perdre tout son courage: la fenêtre de la pièce du bas n'était pas régulièrement percée au-dessous de la fenêtre de sa chambre, elle s'écartait de l'échelle, et lorsqu'elle allongea la main, elle ne rencontra que la muraille. Lui faudrait-il donc remonter, sans pousser son projet jusqu'au bout? Ses bras se lassaient, le murmure de la Morelle, au-dessous d'elle, commençait à lui donner des vertiges. Alors, elle arracha du mur de petits fragments de plâtre et les lança dans la fenêtre de Dominique. Il n'entendait pas, peut-être dormait-il. Elle émietta encore la muraille, elle s'écorchait les doigts. Et elle était à bout de force, elle se sentait tomber à la renverse, lorsque Dominique ouvrit enfin doucement.

— C'est moi, murmura-t-elle. Prends-moi vite, je tombe.

C'était la première fois qu'elle le tutoyait. Il la saisit, en se penchant, et l'apporta dans la chambre. Là, elle eut une crise de larmes, étouffant ses sanglots, pour qu'on ne l'entendît pas. Puis, par un effort suprême, elle se calma.

— Vous êtes gardé? demanda-t-elle à voix basse.

Dominique, encore stupéfait de la voir ainsi, fit un simple signe, en montrant sa porte. De l'autre côté, on entendait un ronflement; la sentinelle, cédant au sommeil, avait dû se coucher par terre, contre la porte, en se disant que, de cette façon, le prisonnier ne pouvait bouger.

— Il faut fuir, reprit-elle vivement. Je suis venue pour vous supplier de fuir et pour vous dire adieu.

Mais lui ne paraissait pas l'entendre. Il répétait:

— Comment, c'est vous, c'est vous... Oh! que vous m'avez fait peur! Vous pouviez vous tuer.

Il lui prit les mains, il les baisa.

— Que je vous aime, Françoise!... Vous êtes aussi courageuse que bonne. Je n'avais qu'une crainte, c'était de mourir sans vous avoir revue... Mais vous êtes là, et maintenant ils peuvent me fusiller. Quand j'aurai passé un quart d'heure avec vous, je serai prêt.

Peu à peu, il l'avait attirée à lui, et elle appuyait sa tête sur son épaule. Le danger les rapprochait. Ils oubliaient tout dans cette étreinte.

— Ah! Françoise, reprit Dominique d'une voix caressante, c'est aujourd'hui la Saint-Louis, le jour si longtemps attendu de notre mariage. Rien n'a pu nous séparer, puisque nous voilà tous les deux seuls, fidèles au rendez-vous... N'est-ce pas? c'est à cette heure le matin des noces.

— Oui, oui, répéta-t-elle, le matin des noces.

Ils échangèrent un baiser en frissonnant. Mais, tout d'un coup, elle se dégagea, la terrible réalité se dressait devant elle.

— Il faut fuir, il faut fuir, bégaya-t-elle. Ne perdons pas une minute.

Et comme il tendait les bras dans l'ombre pour la reprendre, elle le tutoya de nouveau:

— Oh! je t'en prie, écoute-moi... Si tu meurs, je mourrai. Dans une heure, il fera jour. Je veux que tu partes tout de suite.

Alors, rapidement, elle expliqua son plan. L'échelle de fer descendait jusqu'à la roue; là, il pourrait s'aider des palettes et entrer dans la barque qui se trouvait dans un enfoncement. Il lui serait facile ensuite de gagner l'autre bord de la rivière et de s'échapper.

— Mais il doit y avoir des sentinelles? dit-il.

— Une seule, en face, au pied du premier saule.

— Et si elle m'aperçoit, si elle veut crier?

Françoise frissonna. Elle lui mit dans la main un couteau qu'elle avait descendu. Il y eut un silence.

— Et votre père, et vous? reprit Dominique. Mais non, je ne puis fuir... Quand je ne serai plus là, ces soldats vous massacreront peut-être... Vous ne les connaissez pas. Ils m'ont proposé de me faire grâce, si je consentais à les guider dans la forêt de Sauval. Lorsqu'ils ne me trouveront plus, ils sont capables de tout.

La jeune fille ne s'arrêta pas à discuter. Elle répondit simplement à toutes les raisons qu'il donnait:

— Par amour pour moi, fuyez... Si vous m'aimez, Dominique, ne restez pas ici une minute de plus.

Puis, elle promit de remonter dans sa chambre. On ne saurait pas qu'elle l'avait aidé. Elle finit par le prendre dans ses bras, par l'embrasser, pour le convaincre, avec un élan de passion extraordinaire. Lui, était vaincu. Il ne posa plus qu'une question:

— Jurez-moi que votre père connaît votre démarche et qu'il me conseille la fuite?

— C'est mon père qui m'a envoyée, répondit hardiment Françoise.

Elle mentait. Dans ce moment, elle n'avait qu'un besoin immense, le savoir en sûreté, échapper à cette abominable pensée que le soleil allait être le signal de sa mort. Quand il serait loin, tous les malheurs pouvaient fondre sur elle; cela lui paraîtrait doux, du moment où il vivrait. L'égoïsme de sa tendresse le voulait vivant, avant toutes choses.

— C'est bien, dit Dominique, je ferai comme il vous plaira.

Alors, ils ne parlèrent plus. Dominique alla rouvrir la fenêtre. Mais, brusquement, un bruit les glaça. La porte fut ébranlée, et ils crurent qu'on l'ouvrait. Évidemment, une ronde avait entendu leurs voix. Et tous deux debout, serrés l'un contre l'autre, attendaient dans une angoisse indicible. La porte fut de nouveau secouée; mais elle ne s'ouvrit pas. Ils eurent chacun un soupir étouffé; ils venaient de comprendre, ce devait être le soldat couché en travers du seuil, qui s'était retourné. En effet, le silence se fit, les ronflements recommencèrent.

Dominique voulut absolument que Françoise remontât d'abord chez elle. Il la prit dans ses bras, il lui dit un muet adieu. Puis, il l'aida à saisir l'échelle et se cramponna à son tour. Mais il refusa de descendre un seul échelon avant de la savoir dans sa chambre. Quand Françoise fut rentrée, elle laissa tomber d'une voix légère comme un souffle:

— Au revoir, je t'aime!

Elle resta accoudée, elle tâcha de suivre Dominique. La nuit était toujours très noire. Elle chercha la sentinelle et ne l'aperçut pas; seul, le saule faisait une tache pâle, au milieu des ténèbres. Pendant un instant, elle entendit le frôlement du corps de Dominique le long du lierre. Ensuite la roue craqua, et il y eut un léger clapotement qui lui annonça que le jeune homme venait de trouver la barque. Une minute plus tard, en effet, elle distingua la silhouette sombre de la barque sur la nappe grise de la Morelle. Alors, une angoisse terrible la reprit à la gorge. A chaque instant, elle croyait entendre le cri d'alarme de la sentinelle; les moindres bruits, épars dans l'ombre, lui semblaient des pas précipités de soldats, des froissements d'armes, des bruits de fusils qu'on armait. Pourtant, les secondes s'écoulaient, la campagne gardait sa paix souveraine. Dominique devait aborder à l'autre rive. Françoise ne voyait plus rien. Le silence était majestueux. Et elle entendit un piétinement, un cri rauque, la chute sourde d'un corps. Puis, le silence se fit plus profond. Alors, comme si elle eût senti la mort passer, elle resta toute froide, en face de l'épaisse nuit.

IV

Dès le petit jour, des éclats de voix ébranlèrent le moulin. Le père Merlier était venu ouvrir la porte de Françoise. Elle descendit dans la cour, pâle et très calme. Mais là, elle ne put réprimer un frisson, en face du cadavre d'un soldat prussien, qui était allongé près du puits, sur un manteau étalé.

Autour du corps, des soldats gesticulaient, criaient sur un ton de fureur. Plusieurs d'entre eux montraient les poings au village. Cependant, l'officier venait de faire appeler le père Merlier, comme maire de la commune.

— Voici, lui dit-il d'une voix étranglée par la colère, un de nos hommes que l'on a trouvé assassiné sur le bord de la rivière... Il nous faut un exemple éclatant, et je compte que vous allez nous aider à découvrir le meurtrier.

— Tout ce que vous voudrez, répondit le meunier avec son flegme. Seulement ce ne sera pas commode.

L'officier s'était baissé pour écarter un pan du manteau, qui cachait la figure du mort. Alors apparut une horrible blessure. La sentinelle avait été frappée à la gorge, et l'arme était restée dans la plaie. C'était un couteau de cuisine à manche noir.

— Regardez ce couteau, dit l'officier au père Merlier, peut-être nous aidera-t-il dans nos recherches.

Le vieillard avait eu un tressaillement. Mais il se remit aussitôt, il répondit, sans qu'un muscle de sa face bougeât:

— Tout le monde a des couteaux pareils, dans nos campagnes... Peut-être que votre homme s'ennuyait de se battre et qu'il se sera fait son affaire lui-même. Ça se voit.

— Taisez-vous! cria furieusement l'officier. Je ne sais ce qui me retient de mettre le feu aux quatre coins du village.

La colère heureusement l'empêchait de remarquer la profonde altération du visage de Françoise. Elle avait dû s'asseoir sur le banc de pierre, près du puits. Malgré elle, ses regards ne quittaient plus ce cadavre, étendu à terre, presque à ses pieds. C'était un grand et beau garçon, qui ressemblait à Dominique, avec des cheveux blonds et des yeux bleus. Cette ressemblance lui retournait le cœur. Elle pensait que le mort avait peut-être laissé là-bas, en Allemagne, quelque amoureuse qui allait pleurer. Et elle reconnaissait son couteau dans la gorge du mort. Elle l'avait tué.

Cependant, l'officier parlait de frapper Rocreuse de mesures terribles, lorsque des soldats accoururent. On venait de s'apercevoir seulement de l'évasion de Dominique. Cela causa une agitation extrême. L'officier se rendit sur les lieux, regarda par la fenêtre laissée ouverte, comprit tout, et revint exaspéré.

Le père Merlier parut très contrarié de la fuite de Dominique.

— L'imbécile! murmura-t-il, il gâte tout.

Françoise qui l'entendit, fut prise d'angoisse. Son père, d'ailleurs, ne soupçonnait pas sa complicité. Il hocha la tête, en lui disant à demi-voix:

— A présent, nous voilà propres!

— C'est ce gredin! c'est ce gredin! criait l'officier. Il aura gagné les bois... Mais il faut qu'on nous le retrouve, ou le village payera pour lui.

Et, s'adressant au meunier:

— Voyons, vous devez savoir où il se cache?

Le père Merlier eut son rire silencieux, en montrant la large étendue des coteaux boisés.

— Comment voulez-vous trouver un homme là-dedans? dit-il.

— Oh! il doit y avoir des trous que vous connaissez. Je vais vous donner dix hommes. Vous les guiderez.

— Je veux bien. Seulement, il nous faudra huit jours pour battre tous les bois des environs.

La tranquillité du vieillard enrageait l'officier. Il comprenait en effet le ridicule de cette battue. Ce fut alors qu'il aperçut sur le banc Françoise pâle et tremblante. L'attitude anxieuse de la jeune fille le frappa. Il se tut un instant, examinant tour à tour le meunier et Françoise.

— Est-ce que cet homme, finit-il par demander brutalement au vieillard, n'est pas l'amant de votre fille?

Le père Merlier devint livide, et l'on put croire qu'il allait se jeter sur l'officier pour l'étrangler. Il se raidit, il ne répondit pas. Françoise avait mis son visage entre ses mains.

— Oui, c'est cela, continua le Prussien, vous ou votre fille l'avez aidé à fuir. Vous êtes son complice... Une dernière fois, voulez-vous nous le livrer?

Le meunier ne répondit pas. Il s'était détourné, regardant au loin d'un air indifférent, comme si l'officier ne s'adressait pas à lui. Cela mit le comble à la colère de ce dernier.

— Eh bien! déclara-t-il, vous allez être fusillé à sa place.

Et il commanda une fois encore le peloton d'exécution. Le père Merlier garda son flegme. Il eut à peine un léger haussement d'épaules, tout ce drame lui semblait d'un goût médiocre. Sans doute il ne croyait pas qu'on fusillât un homme si aisément. Puis, quand le peloton fut là, il dit avec gravité:

— Alors, c'est sérieux?... Je veux bien. S'il vous en faut un absolument, moi autant qu'un autre.

Mais Françoise s'était levée, affolée, bégayant:

— Grâce, monsieur, ne faites pas du mal à mon père. Tuez-moi à sa place... C'est moi qui ai aidé Dominique à fuir. Moi seule suis coupable.

— Tais-toi, fillette, s'écria le père Merlier. Pourquoi mens-tu?... Elle a passé la nuit enfermée dans sa chambre, monsieur. Elle ment, je vous assure.

— Non, je ne mens pas, reprit ardemment la jeune fille. Je suis descendue par la fenêtre, j'ai poussé Dominique à s'enfuir... C'est la vérité, la seule vérité...

Le vieillard était devenu très pâle. Il voyait bien dans ses yeux qu'elle ne mentait pas, et cette histoire l'épouvantait. Ah! ces enfants, avec leurs cœurs, comme ils gâtaient tout! Alors, il se fâcha.

— Elle est folle, ne l'écoutez pas. Elle vous raconte des histoires stupides... Allons, finissons-en.

Elle voulut protester encore. Elle s'agenouilla, elle joignit les mains. L'officier, tranquillement, assistait à cette lutte douloureuse.

— Mon Dieu! finit-il par dire, je prends votre père, parce que je ne tiens plus l'autre... Tâchez de retrouver l'autre, et votre père sera libre.

Un moment, elle le regarda, les yeux agrandis par l'atrocité de cette proposition.

— C'est horrible, murmura-t-elle. Où voulez-vous que je retrouve Dominique, à cette heure? Il est parti, je ne sais plus.

— Enfin, choisissez. Lui ou votre père.

— Oh! mon Dieu! est-ce que je puis choisir? Mais je saurais où est Dominique, que je ne pourrais pas choisir!... C'est mon cœur que vous coupez... J'aimerais mieux mourir tout de suite. Oui, ce serait plus tôt fait. Tuez-moi, je vous en prie, tuez-moi...

Cette scène de désespoir et de larmes finissait par impatienter l'officier. Il s'écria:

— En voilà assez! Je veux être bon, je consens à vous donner deux heures... Si, dans deux heures, votre amoureux n'est pas là, votre père payera pour lui.

Et il fit conduire le père Merlier dans la chambre qui avait servi de prison à Dominique. Le vieux demanda du tabac et se mit à fumer. Sur son visage impassible on ne lisait aucune émotion. Seulement, quand il fut seul, tout en fumant, il pleura deux grosses larmes qui coulèrent lentement sur ses joues. Sa pauvre et chère enfant, comme elle souffrait!

Françoise était restée au milieu de la cour. Des soldats prussiens passaient en riant. Certains lui jetaient des mots, des plaisanteries qu'elle ne comprenait pas. Elle regardait la porte par laquelle son père venait de disparaître. Et, d'un geste lent, elle portait la main à son front, comme pour l'empêcher d'éclater.

L'officier tourna sur ses talons, en répétant:

— Vous avez deux heures. Tâchez de les utiliser.

Elle avait deux heures. Cette phrase bourdonnait dans sa tête. Alors, machinalement, elle sortit de la cour, elle marcha devant elle. Où aller? que faire? Elle n'essayait même pas de prendre un parti, parce qu'elle sentait bien l'inutilité de ses efforts. Pourtant, elle aurait voulu voir Dominique. Ils se seraient entendus tous les deux, ils auraient peut-être trouvé un expédient. Et, au milieu de la confusion de ses pensées, elle descendit au bord de la Morelle, qu'elle traversa en dessous de l'écluse, à un endroit où il y avait de grosses pierres. Ses pieds la conduisirent sous le premier saule, au coin de la prairie. Comme elle se baissait, elle aperçut une mare de sang qui la fit pâlir. C'était bien là. Et elle suivit les traces de Dominique dans l'herbe foulée; il avait dû courir, on voyait une ligne de grands pas coupant la prairie de biais. Puis, au delà, elle perdit ces traces. Mais, dans un pré voisin, elle crut les retrouver. Cela la conduisit à la lisière de la forêt, où toute indication s'effaçait.

Françoise s'enfonça quand même sous les arbres. Cela la soulageait d'être seule. Elle s'assit un instant. Puis, en songeant que l'heure s'écoulait, elle se remit debout. Depuis combien de temps avait-elle quitté le moulin? Cinq minutes? une demi-heure? Elle n'avait plus conscience du temps. Peut-être Dominique était-il allé se cacher dans un taillis qu'elle connaissait, et où ils avaient, une après-midi, mangé des noisettes ensemble. Elle se rendit au taillis, le visita. Un merle seul s'envola, en sifflant sa phrase douce et triste. Alors, elle pensa qu'il s'était réfugié dans un creux de roches, où il se mettait parfois à l'affût; mais le creux de roches était vide. A quoi bon le chercher? elle ne le trouverait pas; et peu à peu le désir de le découvrir la passionnait, elle marchait plus vite. L'idée qu'il avait dû monter dans un arbre lui vint brusquement. Elle avança dès lors, les yeux levés, et pour qu'il la sût près de lui, elle l'appelait tous les quinze à vingt pas. Des coucous répondaient, un souffle qui passait dans les branches lui faisait croire qu'il était là et qu'il descendait. Une fois même, elle s'imagina le voir; elle s'arrêta, étranglée, avec l'envie de fuir. Qu'allait-elle lui dire? Venait-elle donc pour l'emmener et le faire fusiller? Oh! non, elle ne parlerait point de ces choses. Elle lui crierait de se sauver, de ne pas rester dans les environs. Puis, la pensée de son père qui l'attendait lui causa une douleur aiguë. Elle tomba sur le gazon, en pleurant, en répétant tout haut:

— Mon Dieu! mon Dieu! pourquoi suis-je là!

Elle était folle d'être venue. Et, comme prise de peur, elle courut, elle chercha à sortir de la forêt. Trois fois, elle se trompa, et elle croyait qu'elle ne retrouverait plus le moulin, lorsqu'elle déboucha dans une prairie, juste en face de Rocreuse. Dès qu'elle aperçut le village, elle s'arrêta. Est-ce qu'elle allait rentrer seule?

Elle restait debout, quand une voix l'appela doucement:

— Françoise! Françoise!

Et elle vit Dominique qui levait la tête, au bord d'un fossé. Juste Dieu! elle l'avait trouvé! Le ciel voulait donc sa mort? Elle retint un cri, elle se laissa glisser dans le fossé.

— Tu me cherchais? demanda-t-il.

— Oui, répondit-elle, la tête bourdonnante, ne sachant ce qu'elle disait.

— Ah! que se passe-t-il?

Elle baissa les yeux, elle balbutia:

— Mais, rien, j'étais inquiète, je désirais te voir.

Alors, tranquillisé, il lui expliqua qu'il n'avait pas voulu s'éloigner. Il craignait pour eux. Ces gredins de Prussiens étaient très capables de se venger sur les femmes et sur les vieillards. Enfin, tout allait bien, et il ajouta en riant:

— La noce sera pour dans huit jours, voilà tout.

Puis, comme elle restait bouleversée, il redevint grave.

— Mais, qu'as-tu? tu me caches quelque chose.

— Non, je te jure. J'ai couru pour venir.

Il l'embrassa, en disant que c'était imprudent pour elle et pour lui de causer davantage; et il voulut remonter le fossé, afin de rentrer dans la forêt. Elle le retint. Elle tremblait.

— Écoute, tu ferais peut-être bien tout de même de rester là... Personne ne te cherche, tu ne crains rien.

— Françoise, tu me caches quelque chose, répéta-t-il.

De nouveau, elle jura qu'elle ne lui cachait rien. Seulement, elle aimait mieux le savoir près d'elle. Et elle bégaya encore d'autres raisons. Elle lui parut si singulière, que maintenant lui-même aurait refusé de s'éloigner. D'ailleurs, il croyait au retour des Français. On avait vu des troupes du côté de Sauval.

— Ah! qu'ils se pressent, qu'ils soient ici le plus tôt possible! murmura-t-elle avec ferveur.

A ce moment, onze heures sonnèrent au clocher de Rocreuse. Les coups arrivaient, clairs et distincts. Elle se leva, effarée; il y avait deux heures qu'elle avait quitté le moulin.

— Écoute, dit-elle rapidement, si nous avions besoin de toi, je monterai dans ma chambre et j'agiterai mon mouchoir.

Et elle partit en courant, pendant que Dominique, très inquiet, s'allongeait au bord du fossé, pour surveiller le moulin. Comme elle allait rentrer dans Rocreuse, Françoise rencontra un vieux mendiant, le père Bontemps, qui connaissait tout le pays. Il la salua, il venait de voir le meunier au milieu des Prussiens; puis, en faisant des signes de croix et en marmottant des mots entrecoupés, il continua sa route.

— Les deux heures sont passées, dit l'officier quand Françoise parut.

Le père Merlier était là, assis sur le banc, près du puits. Il fumait toujours. La jeune fille, de nouveau, supplia, pleura, s'agenouilla. Elle voulait gagner du temps. L'espoir de voir revenir les Français avait grandi en elle, et tandis qu'elle se lamentait, elle croyait entendre au loin les pas cadencés d'une armée. Oh! s'ils avaient paru, s'ils les avaient tous délivrés!

— Écoutez, monsieur, une heure, encore une heure... Vous pouvez bien nous accorder une heure!

Mais l'officier restait inflexible. Il ordonna même à deux hommes de s'emparer d'elle et de l'emmener, pour qu'on procédât à l'exécution du vieux tranquillement. Alors, un combat affreux se passa dans le cœur de Françoise. Elle ne pouvait laisser ainsi assassiner son père. Non, non, elle mourrait plutôt avec Dominique; et elle s'élançait vers sa chambre, lorsque Dominique lui-même entra dans la cour.

L'officier et les soldats poussèrent un cri de triomphe. Mais lui, comme s'il n'y avait eu là que Françoise, s'avança vers elle, tranquille, un peu sévère.

— C'est mal, dit-il. Pourquoi ne m'avez-vous pas ramené? Il a fallu que le père Bontemps me contât les choses... Enfin, me voilà.

V

Il était trois heures. De grands nuages noirs avaient lentement empli le ciel, la queue de quelque orage voisin. Ce ciel jaune, ces haillons cuivrés changeaient la vallée de Rocreuse, si gaie au soleil, en un coupe-gorge plein d'une ombre louche. L'officier prussien s'était contenté de faire enfermer Dominique, sans se prononcer sur le sort qu'il lui réservait. Depuis midi, Françoise agonisait dans une angoisse abominable. Elle ne voulait pas quitter la cour, malgré les instances de son père. Elle attendait les Français. Mais les heures s'écoulaient, la nuit allait venir, et elle souffrait d'autant plus, que tout ce temps gagné ne paraissait pas devoir changer l'affreux dénoûment.

Cependant, vers trois heures, les Prussiens firent leurs préparatifs de départ. Depuis un instant, l'officier s'était, comme la veille, enfermé avec Dominique. Françoise avait compris que la vie du jeune homme se décidait. Alors, elle joignit les mains, elle pria. Le père Merlier, à côté d'elle, gardait son attitude muette et rigide de vieux paysan, qui ne lutte pas contre la fatalité des faits.

— Oh! mon Dieu! oh! mon Dieu! balbutiait Françoise, ils vont le tuer...

Le meunier l'attira près de lui et la prit sur ses genoux comme un enfant.

A ce moment, l'officier sortait, tandis que, derrière lui, deux hommes amenaient Dominique.

— Jamais, jamais! criait ce dernier. Je suis prêt à mourir.

— Réfléchissez bien, reprit l'officier. Ce service que vous me refusez, un autre nous le rendra. Je vous offre la vie, je suis généreux... Il s'agit simplement de nous conduire à Montredon, à travers bois. Il doit y avoir des sentiers.

Dominique ne répondait plus.

— Alors, vous vous entêtez?

— Tuez-moi, et finissons-en, répondit-il.

Françoise, les mains jointes, le suppliait de loin. Elle oubliait tout, elle lui aurait conseillé une lâcheté. Mais le père Merlier lui saisit les mains, pour que les Prussiens ne vissent pas son geste de femme affolée.

— Il a raison, murmura-t-il, il vaut mieux mourir.

Le peloton d'exécution était là. L'officier attendait une faiblesse de Dominique. Il comptait toujours le décider. Il y eut un silence. Au loin, on entendait de violents coups de tonnerre. Une chaleur lourde écrasait la campagne. Et ce fut dans ce silence qu'un cri retentit:

— Les Français! les Français!

C'étaient eux, en effet. Sur la route de Sauval, à la lisière du bois, on distinguait la ligne des pantalons rouges. Ce fut, dans le moulin, une agitation extraordinaire. Les soldats prussiens couraient, avec des exclamations gutturales. D'ailleurs, pas un coup de feu n'avait encore été tiré.

— Les Français! les Français! cria Françoise en battant des mains.

Elle était comme folle. Elle venait de s'échapper de l'étreinte de son père, et elle riait, les bras en l'air. Enfin, ils arrivaient donc, et ils arrivaient à temps, puisque Dominique était encore là, debout!

Un feu de peloton terrible qui éclata comme un coup de foudre à ses oreilles, la fit se retourner. L'officier venait de murmurer:

— Avant tout, réglons cette affaire.

Et, poussant lui-même Dominique contre le mur d'un hangar, il avait commandé le feu. Quand Françoise se tourna, Dominique était par terre, la poitrine trouée de douze balles.

Elle ne pleura pas, elle resta stupide. Ses yeux devinrent fixes, et elle alla s'asseoir sous le hangar, à quelques pas du corps. Elle le regardait, elle avait par moments un geste vague et enfantin de la main. Les Prussiens s'étaient emparés du père Merlier comme d'un otage.

Ce fut un beau combat. Rapidement, l'officier avait posté ses hommes, comprenant qu'il ne pouvait battre en retraite, sans se faire écraser. Autant valait-il vendre chèrement sa vie. Maintenant, c'étaient les Prussiens qui défendaient le moulin, et les Français qui l'attaquaient.

La fusillade commença avec une violence inouïe. Pendant une demi-heure, elle ne cessa pas. Puis, un éclat sourd se fit entendre, et un boulet cassa une maîtresse branche de l'orme séculaire. Les Français avaient du canon. Une batterie, dressée juste au-dessus du fossé dans lequel s'était caché Dominique, balayait la grande rue de Rocreuse. La lutte, désormais, ne pouvait être longue.

Ah! le pauvre moulin! Des boulets le perçaient de part en part. Une moitié de la toiture fut enlevée. Deux murs s'écroulèrent. Mais c'était surtout du côté de la Morelle que le désastre devint lamentable. Les lierres, arrachés des murailles ébranlées, pendaient comme des guenilles; la rivière emportait des débris de toutes sortes, et l'on voyait, par une brèche, la chambre de Françoise, avec son lit, dont les rideaux blancs étaient soigneusement tirés. Coup sur coup, la vieille roue reçut deux boulets, et elle eut un gémissement suprême: les palettes furent charriées dans le courant, la carcasse s'écrasa. C'était l'âme du gai moulin qui venait de s'exhaler.

Puis, les Français donnèrent l'assaut. Il y eut un furieux combat à l'arme blanche. Sous le ciel couleur de rouille, le coupe-gorge de la vallée s'emplissait de morts. Les larges prairies semblaient farouches, avec leurs grands arbres isolés, leurs rideaux de peupliers qui les tachaient d'ombre. A droite et à gauche, les forêts étaient comme les murailles d'un cirque qui enfermaient les combattants, tandis que les sources, les fontaines et les eaux courantes prenaient des bruits de sanglots, dans la panique de la campagne.

Sous le hangar, Françoise n'avait pas bougé, accroupie en face du corps de Dominique. Le père Merlier venait d'être tué raide par une balle perdue. Alors, comme les Prussiens étaient exterminés et que le moulin brûlait, le capitaine français entra le premier dans la cour. Depuis le commencement de la campagne, c'était l'unique succès qu'il remportait. Aussi, tout enflammé, grandissant sa haute taille, riait-il de son air aimable de beau cavalier. Et, apercevant Françoise imbécile entre les cadavres de son mari et de son père, au milieu des ruines fumantes du moulin, il la salua galamment de son épée, en criant:
— Victoire! victoire!

LE CHÔMAGE

I

Le matin, quand les ouvriers arrivent à l'atelier, ils le trouvent froid, comme noir d'une tristesse de ruine. Au fond de la grande salle, la machine est muette, avec ses bras maigres, ses roues immobiles; et elle met là une mélancolie de plus, elle dont le souffle et le branle animent toute la maison, d'ordinaire, du battement d'un cœur de géant, rude à la besogne.

Le patron descend de son petit cabinet. Il dit d'un air triste aux ouvriers:

— Mes enfants, il n'y a pas de travail aujourd'hui... Les commandes n'arrivent plus; de tous les côtés, je reçois des contre-ordres, je vais rester avec de la marchandise sur les bras. Ce mois de décembre, sur lequel je comptais, ce mois de gros travail, les autres années, menace de ruiner les maisons les plus solides... Il faut tout suspendre.

Et comme il voit les ouvriers se regarder entre eux avec la peur du retour au logis, la peur de la faim du lendemain, il ajoute d'un ton plus bas:

— Je ne suis pas égoïste, non, je vous le jure... Ma situation est aussi terrible, plus terrible peut-être que la vôtre. En huit jours, j'ai perdu cinquante mille francs. J'arrête le travail aujourd'hui, pour ne pas creuser le gouffre davantage; et je n'ai pas le premier sou de mes échéances du 15... Vous voyez, je vous parle en ami, je ne vous cache rien. Demain, peut-être, les huissiers seront ici. Ce n'est pas notre faute, n'est-ce pas? Nous avons lutté jusqu'au bout. J'aurais voulu vous aider à passer ce mauvais moment; mais c'est fini, je suis à terre; je n'ai plus de pain à partager.

Alors, il leur tend la main. Les ouvriers la lui serrent silencieusement. Et, pendant quelques minutes, ils restent là, à regarder leurs outils inutiles, les poings serrés. Les autres matins, dès le jour, les limes chantaient, les marteaux marquaient le rythme; et tout cela semble déjà dormir dans la poussière de la faillite. C'est vingt, c'est trente familles qui ne mangeront pas la semaine suivante. Quelques femmes qui travaillaient dans la fabrique ont des larmes au bord des yeux. Les hommes veulent paraître plus fermes. Ils font les braves, ils disent qu'on ne meurt pas de faim dans Paris.

Puis, quand le patron les quitte, et qu'ils le voient s'en aller, voûté en huit jours, écrasé peut-être par un désastre plus grand encore qu'il ne l'avoue, ils se retirent un à un, étouffant dans la salle, la gorge serrée, le froid au cœur, comme s'ils sortaient de la chambre d'un mort. Le mort, c'est le travail, c'est la grande machine muette, dont le squelette est sinistre dans l'ombre.

II

L'ouvrier est dehors, dans la rue, sur le pavé. Il a battu les trottoirs pendant huit jours, sans pouvoir trouver du travail. Il est allé de porte en porte, offrant ses bras, offrant ses mains, s'offrant tout entier à n'importe quelle besogne, à la plus rebutante, à la plus dure, à la plus mortelle. Toutes les portes se sont refermées.

Alors, l'ouvrier a offert de travailler à moitié prix. Les portes ne se sont pas rouvertes. Il travaillerait pour rien qu'on ne pourrait le garder. C'est le chômage, le terrible chômage qui sonne le glas des mansardes. La panique a arrêté toutes les industries, et l'argent, l'argent lâche s'est caché.

Au bout des huit jours, c'est bien fini. L'ouvrier a fait une suprême tentative, et il revient lentement, les mains vides, éreinté de misère. La pluie tombe; ce soir-là, Paris est funèbre dans la boue. Il marche sous l'averse, sans la sentir, n'entendant que sa faim, s'arrêtant pour arriver moins vite. Il s'est penché sur un parapet de la Seine; les eaux grossies coulent avec un long bruit; des rejaillissements d'écume blanche se déchirent à une pile du pont. Il se penche davantage, la coulée colossale passe sous lui, en lui jetant un appel furieux. Puis, il se dit que ce serait lâche, et il s'en va.

La pluie a cessé. Le gaz flamboie aux vitrines des bijoutiers. S'il crevait une vitre, il prendrait d'une poignée du pain pour des années. Les cuisines des restaurants s'allument; et, derrière les rideaux de mousseline blanche, il aperçoit des gens qui mangent. Il hâte le pas, il remonte au faubourg, le long des rôtisseries, des charcuteries, des pâtisseries, de tout le Paris gourmand qui s'étale aux heures de la faim.

Comme la femme et la petite fille pleuraient, le matin, il leur a promis du pain pour le soir. Il n'a pas osé venir leur dire qu'il avait menti, avant la nuit tombée. Tout en marchant, il se demande comment il entrera, ce qu'il racontera, pour leur faire prendre patience. Ils ne peuvent pourtant rester plus longtemps sans manger. Lui, essayerait bien, mais la femme et la petite sont trop chétives.

Et, un instant, il a l'idée de mendier. Mais quand une dame ou un monsieur passent à côté de lui, et qu'il songe à tendre la main, son bras se raidit, sa gorge se serre. Il reste planté sur le trottoir, tandis que les gens comme il faut se détournent, le croyant ivre, à voir son masque farouche d'affamé.

III

La femme de l'ouvrier est descendue sur le seuil de la porte, laissant en haut la petite endormie. La femme est toute maigre, avec une robe d'indienne. Elle grelotte dans les souffles glacés de la rue.

Elle n'a plus rien au logis; elle a tout porté au Mont-de-Piété. Huit jours sans travail suffisent pour vider la maison. La veille, elle a vendu chez un fripier la dernière poignée de laine de son matelas; le matelas s'en est allé ainsi; maintenant, il ne reste que la toile. Elle l'a accrochée devant la fenêtre pour empêcher l'air d'entrer, car la petite tousse beaucoup.

Sans le dire à son mari, elle a cherché de son côté. Mais le chômage a frappé plus rudement les femmes que les hommes. Sur son palier, il y a des malheureuses qu'elle entend sangloter pendant la nuit. Elle en a rencontré une tout debout au coin d'un trottoir; une autre est morte; une autre a disparu.

Elle, heureusement, a un bon homme, un mari qui ne boit pas. Ils seraient à l'aise, si des mortes saisons ne les avaient dépouillés de tout. Elle a épuisé les crédits: elle doit au boulanger, à l'épicier, à la fruitière, et elle n'ose plus même passer devant les boutiques. L'après-midi, elle est allée chez sa sœur pour emprunter vingt sous; mais elle a trouvé, là aussi, une telle misère qu'elle s'est mise à pleurer, sans rien dire, et que toutes deux, sa sœur et elle, ont pleuré longtemps ensemble. Puis, en s'en allant, elle a promis d'apporter un morceau de pain, si son mari rentrait avec quelque chose.

Le mari ne rentre pas. La pluie tombe, elle se réfugie sous la porte; de grosses gouttes clapotent à ses pieds, une poussière d'eau pénètre sa mince robe. Par moments, l'impatience la prend, elle sort, malgré l'averse, elle va jusqu'au bout de la rue, pour voir si elle n'aperçoit pas celui qu'elle attend, au loin, sur la chaussée. Et quand elle revient, elle est trempée; elle passe ses mains sur ses cheveux pour les essuyer; elle patiente encore, secouée par de courts frissons de fièvre.

Le va-et-vient des passants la coudoie. Elle se fait toute petite pour ne gêner personne. Des hommes la regardent en face; elle sent, par moments, des haleines chaudes qui lui effleurent le cou. Tout le Paris suspect, la rue avec sa boue, ses clartés crues, ses roulements de voiture, semble vouloir la prendre et la jeter au ruisseau. Elle a faim, elle est à tout le monde. En face, il y a un boulanger, et elle pense à la petite qui dort, en haut.

Puis, quand le mari se montre enfin, filant comme un misérable le long des maisons, elle se précipite, elle le regarde anxieusement.

— Eh bien! balbutie-t-elle.

Lui, ne répond pas, baisse la tête. Alors, elle monte la première, pâle comme une morte.

IV

En haut, la petite ne dort pas. Elle s'est réveillée, elle songe, en face du bout de chandelle qui agonise sur un coin de la table. Et on ne sait quoi de monstrueux et de navrant passe sur la face de cette gamine de sept ans, aux traits flétris et sérieux de femme faite.

Elle est assise sur le bord du coffre qui lui sert de couche. Ses pieds nus pendent, grelottants; ses mains de poupée maladive ramènent contre sa poitrine les chiffons qui la couvrent. Elle sent là une brûlure, un feu qu'elle voudrait éteindre. Elle songe.

Elle n'a jamais eu de jouets. Elle ne peut aller à l'école, parce qu'elle n'a pas de souliers. Plus petite, elle se rappelle que sa mère la menait au soleil. Mais cela est loin. Il a fallu déménager; et, depuis ce temps, il lui semble qu'un grand froid a soufflé dans la maison. Alors, elle n'a plus été contente; toujours elle a eu faim.

C'est une chose profonde dans laquelle elle descend, sans pouvoir la comprendre. Tout le monde a donc faim? Elle a pourtant tâché de s'habituer à cela, et elle n'a pas pu. Elle pense qu'elle est trop petite, qu'il faut être grande pour savoir. Sa mère sait, sans doute, cette chose qu'on cache aux enfants. Si elle osait, elle lui demanderait qui vous met ainsi au monde pour que vous ayez faim.

Puis, c'est si laid, chez eux! Elle regarde la fenêtre où bat la toile du matelas, les murs nus, les meubles éclopés, toute cette honte du grenier que le chômage salit de son désespoir. Dans son ignorance, elle croit avoir rêvé des chambres tièdes avec de beaux objets qui luisaient; elle ferme les yeux pour revoir cela; et, à travers ses paupières amincies, la lueur de la chandelle devient un grand resplendissement d'or dans lequel elle voudrait entrer. Mais le vent souffle, il vient un tel courant d'air par la fenêtre qu'elle est prise d'un accès de toux. Elle a des larmes plein les yeux.

Autrefois, elle avait peur, lorsqu'on la laissait toute seule; maintenant, elle ne sait plus, ça lui est égal. Comme on n'a pas mangé depuis la veille, elle pense que sa mère est descendue chercher du pain. Alors, cette idée l'amuse. Elle taillera son pain en tout petits morceaux; elle les prendra lentement, un à un. Elle jouera avec son pain.

La mère est rentrée, le père a fermé la porte. La petite leur regarde les mains à tous deux, très surprise. Et, comme ils ne disent rien, au bout d'un bon moment, elle répète sur un ton chantant:

— J'ai faim, j'ai faim.

Le père s'est pris la tête entre les poings, dans un coin d'ombre; il reste là, écrasé, les épaules secouées par de rudes sanglots silencieux. La mère, étouffant les larmes, est venue recoucher la petite. Elle la couvre avec toutes les hardes du logis, elle lui dit d'être sage, de dormir. Mais l'enfant, dont le froid fait claquer les dents, et qui sent le feu de sa poitrine la brûler plus fort, devient très hardie. Elle se pend au cou de sa mère; puis, doucement:

— Dis, maman, demande-t-elle, pourquoi donc avons-nous faim?

LA MORT D'OLIVIER BÉCAILLE

I

C'est un samedi, à six heures du matin, que je suis mort après trois jours de maladie. Ma pauvre femme fouillait depuis un instant dans la malle, où elle cherchait du linge. Lorsqu'elle s'est relevée et qu'elle m'a vu rigide, les yeux ouverts, sans un souffle, elle est accourue, croyant à un évanouissement, me touchant les mains, se penchant sur mon visage. Puis, la terreur l'a prise; et, affolée, elle a bégayé, en éclatant en larmes:

— Mon Dieu! mon Dieu! il est mort!

J'entendais tout, mais les sons affaiblis semblaient venir de très loin. Seul, mon œil gauche percevait encore une lueur confuse, une lumière blanchâtre où les objets se fondaient; l'œil droit se trouvait complètement paralysé. C'était une syncope de mon être entier, comme un coup de foudre qui m'avait anéanti. Ma volonté était morte, plus une fibre de ma chair ne m'obéissait. Et, dans ce néant, au-dessus de mes membres inertes, la pensée seule demeurait, lente et paresseuse, mais d'une netteté parfaite.

Ma pauvre Marguerite pleurait, tombée à genoux devant le lit, répétant d'une voix déchirée:

— Il est mort, mon Dieu! il est mort!

Était-ce donc la mort, ce singulier état de torpeur, cette chair frappée d'immobilité, tandis que l'intelligence fonctionnait toujours? Etait-ce mon âme qui s'attardait ainsi dans mon crâne, avant de prendre son vol? Depuis mon enfance, j'étais sujet à des crises nerveuses. Deux fois, tout jeune, des fièvres aiguës avaient failli m'emporter. Puis, autour de moi, on s'était habitué à me voir maladif; et moi-même j'avais défendu à Marguerite d'aller chercher un médecin, lorsque je m'étais couché le matin de notre arrivée à Paris, dans cet hôtel meublé de la rue Dauphine. Un peu de repos suffirait, c'était la fatigue du voyage qui me courbaturait ainsi. Pourtant, je me sentais plein d'une angoisse affreuse. Nous avions quitté brusquement notre province, très pauvres, ayant à peine de quoi attendre les appointements de mon premier mois, dans l'administration où je m'etais assuré une place. Et voilà qu'une crise subite m'emportait!

Était-ce bien la mort? Je m'étais imaginé une nuit plus noire, un silence plus lourd. Tout petit, j'avais déjà peur de mourir. Comme j'étais débile et que les gens me caressaient avec compassion, je pensais constamment que je ne vivrais pas, qu'on m'enterrerait de bonne heure. Et cette pensée de la terre me causait une épouvante, à laquelle je ne pouvais m'habituer, bien qu'elle me hantât nuit et jour. En grandissant, j'avais gardé cette idée fixe. Parfois, après des journées de réflexion, je croyais avoir vaincu ma peur. Eh bien! on mourait, c'était fini; tout le monde mourait un jour; rien ne devait être plus commode ni meilleur. J'arrivais presque à être gai, je regardais la mort en face. Puis, un frisson brusque me glaçait, me rendait à mon vertige, comme si une main géante m'eût balancé au-dessus d'un gouffre noir. C'était la pensée de la terre qui revenait et emportait mes raisonnements. Que de fois, la nuit, je me suis réveillé en sursaut, ne sachant quel souffle avait passé sur mon sommeil, joignant les mains avec désespoir, balbutiant: «Mon Dieu! mon Dieu! il faut mourir!» Une anxiété me serrait la poitrine, la nécessité de la mort me paraissait plus abominable, dans l'étourdissement du réveil. Je ne me rendormais qu'avec peine, le sommeil m'inquiétait, tellement il ressemblait à la mort. Si j'allais dormir toujours! Si je fermais les yeux pour ne les rouvrir jamais!

J'ignore si d'autres ont souffert ce tourment. Il a désolé ma vie. La mort s'est dressée entre moi et tout ce que j'ai aimé. Je me souviens des plus heureux instants que j'ai passés avec Marguerite. Dans les premiers mois de notre mariage, lorsqu'elle dormait la nuit à mon côté, lorsque je songeais à elle en faisant des rêves d'avenir, sans cesse l'attente d'une séparation fatale gâtait mes joies, détruisait mes espoirs. Il faudrait nous quitter, peut-être demain, peut-être dans une heure. Un immense découragement me prenait, je me demandais à quoi bon le bonheur d'être ensemble, puisqu'il devait aboutir à un déchirement si cruel. Alors, mon imagination se plaisait dans le deuil. Qui partirait le premier, elle ou moi? Et l'une ou l'autre alternative m'attendrissait aux larmes, en déroulant le tableau de nos vies brisées. Aux meilleures époques de mon existence, j'ai eu ainsi des mélancolies soudaines que personne ne comprenait. Lorsqu'il m'arrivait une bonne chance, on s'étonnait de me voir sombre. C'était que tout d'un coup, l'idée de mon néant avait traversé ma joie. Le terrible: «A quoi bon?» sonnait comme un glas à mes oreilles. Mais le pis de ce tourment, c'est qu'on l'endure dans une honte secrète. On n'ose dire son mal à personne. Souvent le mari et la femme, couchés côte à côte, doivent frissonner du même frisson, quand la lumière est éteinte; et ni l'un ni l'autre ne parle, car on ne parle pas de la mort, pas plus qu'on ne prononce certains mots obscènes. On a peur d'elle jusqu'à ne point la nommer, on la cache comme on cache son sexe.

Je réfléchissais à ces choses, pendant que ma chère Marguerite continuait à sangloter. Cela me faisait grand'peine de ne savoir comment calmer son chagrin, en lui disant que je ne souffrais pas. Si la mort n'était que cet évanouissement de la chair, en vérité j'avais eu tort de la tant redouter. C'était un bien-être égoïste, un repos dans lequel j'oubliais mes soucis. Ma mémoire surtout avait pris une vivacité extraordinaire. Rapidement, mon existence entière passait devant moi, ainsi qu'un spectacle auquel je me sentais désormais étranger. Sensation étrange et curieuse qui m'amusait: on aurait dit une voix lointaine qui me racontait mon histoire.

Il y avait un coin de campagne, près de Guérande, sur la route de Piriac, dont le souvenir me poursuivait. La route tourne, un petit bois de pins descend à la débandade une pente rocheuse. Lorsque j'avais sept ans, j'allais là avec mon père, dans une maison à demi écroulée, manger des crêpes chez les parents de Marguerite, des paludiers qui vivaient déjà péniblement des salines voisines. Puis, je me rappelais le collège de Nantes où j'avais grandi, dans l'ennui des vieux murs, avec le continuel désir du large horizon de Guérande, les marais salants à perte de vue, au bas de la ville, et la mer immense, étalée sous le ciel. Là, un trou noir se creusait: mon père mourait, j'entrais à l'administration de l'hôpital comme employé, je commençais une vie monotone, ayant pour unique joie mes visites du dimanche à la vieille maison de la route de Piriac. Les choses y marchaient de mal en pis, car les salines ne rapportaient presque plus rien, et le pays tombait à une grande misère. Marguerite n'était encore qu'une enfant. Elle m'aimait, parce que je la promenais dans une brouette. Mais, plus tard, le matin où je la demandai en mariage, je compris, à son geste effrayé, qu'elle me trouvait affreux. Les parents me l'avaient donnée tout de suite; ça les débarrassait. Elle, soumise, n'avait pas dit non. Quand elle se fut habituée à l'idée d'être ma femme, elle ne parut plus trop ennuyée. Le jour du mariage, à Guérande, je me souviens qu'il pleuvait à torrents; et, quand nous rentrâmes, elle dut se mettre en jupon, car sa robe était trempée.

Voilà toute ma jeunesse. Nous avons vécu quelque temps là-bas. Puis, un jour, en rentrant, je surpris ma femme pleurant à chaudes larmes. Elle s'ennuyait, elle voulait partir. Au bout de six mois, j'avais des économies, faites sou à sou, à l'aide de travaux supplémentaires; et, comme un ancien ami de ma famille s'était occupé de me trouver une place à Paris, j'emmenai la chère enfant, pour qu'elle ne pleurât plus. En chemin de fer, elle riait. La nuit, la banquette des troisièmes classes étant très dure, je la pris sur mes genoux, afin qu'elle pût dormir mollement.

C'était là le passé. Et, à cette heure, je venais de mourir sur cette couche étroite d'hôtel meublé, tandis que ma femme, tombée à genoux sur le carreau, se lamentait. La tache blanche que percevait mon œil gauche pâlissait peu à peu; mais je me rappelais très nettement la chambre. A gauche, était la commode; à droite, la cheminée, au milieu de laquelle une pendule détraquée, sans balancier, marquait dix heures six minutes. La fenêtre s'ouvrait sur la rue Dauphine, noire et profonde. Tout Paris passait là, et dans un tel vacarme, que j'entendais les vitres trembler.

Nous ne connaissions personne à Paris. Comme nous avions pressé notre départ, on ne m'attendait que le lundi suivant à mon administration. Depuis que j'avais dû prendre le lit, c'était une étrange sensation que cet emprisonnement dans cette chambre, où le voyage venait de nous jeter, encore effarés de quinze heures de chemin de fer, étourdis du tumulte des rues. Ma femme m'avait soigné avec sa douceur souriante; mais je sentais combien elle était troublée. De temps à autre, elle s'approchait de la fenêtre, donnait un coup d'œil à la rue, puis revenait toute pâle, effrayée par ce grand Paris dont elle ne connaissait pas une pierre et qui grondait si terriblement. Et qu'allait-elle faire, si je ne me réveillais plus? qu'allait-elle devenir dans cette ville immense, seule, sans un soutien, ignorante de tout?

Marguerite avait pris une de mes mains qui pendait, inerte au bord du lit; et elle la baisait, et elle répétait follement:

— Olivier, réponds-moi... Mon Dieu! il est mort! il est mort!

La mort n'était donc pas le néant, puisque j'entendais et que je raisonnais. Seul, le néant m'avait terrifié, depuis mon enfance. Je ne m'imaginais pas la disparition de mon être, la suppression totale de ce que j'étais; et cela pour toujours, pendant des siècles et des siècles encore, sans que jamais mon existence pût recommencer. Je frissonnais parfois, lorsque je trouvais dans un journal une date future du siècle prochain: je ne vivrais certainement plus à cette date, et cette année d'un avenir que je ne verrais pas, où je ne serais pas, m'emplissait d'angoisse. N'étais-je pas le monde, et tout ne croulerait-il pas, lorsque je m'en irais?

Rêver de la vie dans la mort, tel avait toujours été mon espoir. Mais ce n'était pas la mort sans doute. J'allais certainement me réveiller tout à l'heure. Oui, tout à l'heure, je me pencherais et je saisirais Marguerite entre mes bras, pour sécher ses larmes. Quelle joie de nous retrouver! et comme nous nous aimerions davantage! Je prendrais encore deux jours de repos, puis j'irais à mon administration. Une vie nouvelle commencerait pour nous, plus heureuse, plus large. Seulement, je n'avais pas de hâte. Tout à l'heure, j'étais trop accablé. Marguerite avait tort de se désespérer ainsi, car je ne me sentais pas la force de tourner la tête sur l'oreiller pour lui sourire. Tout à l'heure, lorsqu'elle dirait de nouveau:

— Il est mort! mon Dieu! il est mort!

je l'embrasserais, je murmurerais très bas, afin de ne pas l'effrayer:

— Mais non, chère enfant. Je dormais. Tu vois bien que je vis et que je t'aime.

II

Aux cris que Marguerite poussait, la porte a été brusquement ouverte, et une voix s'est écriée:

— Qu'y a-t-il donc, ma voisine?... Encore une crise, n'est-ce pas?

J'ai reconnu la voix. C'était celle d'une vieille femme, Mme Gabin, qui demeurait sur le même palier que nous. Elle s'était montrée très obligeante, dès notre arrivée, émue par notre position. Tout de suite, elle nous avait raconté son histoire. Un propriétaire intraitable lui avait vendu ses meubles, l'hiver dernier; et, depuis ce temps, elle logeait à l'hôtel, avec sa fille Adèle, une gamine de dix ans. Toutes deux découpaient des abat-jour, c'était au plus si elles gagnaient quarante sous à cette besogne.

— Mon Dieu! est-ce que c'est fini? demanda-t-elle en baissant la voix.

Je compris qu'elle s'approchait. Elle me regarda, me toucha, puis elle reprit avec pitié:

— Ma pauvre petite! ma pauvre petite!

Marguerite, épuisée, avait des sanglots d'enfant. Mme Gabin la souleva, l'assit dans le fauteuil boiteux qui se trouvait près de la cheminée; et, là, elle tâcha de la consoler.

— Vrai, vous allez vous faire du mal. Ce n'est pas parce que votre mari est parti, que vous devez vous crever de désespoir. Bien sûr, quand j'ai perdu Gabin, j'étais pareille à vous, je suis restée trois jours sans pouvoir avaler gros comme ça de nourriture. Mais ça ne m'a avancée à rien; au contraire, ça m'a enfoncée davantage... Voyons, pour l'amour de Dieu... Soyez raisonnable.

Peu à peu, Marguerite se tut. Elle était à bout de force; et, de temps à autre, une crise de larmes la secouait encore. Pendant ce temps, la vieille femme prenait possession de la chambre, avec une autorité bourrue.

— Ne vous occupez de rien, répétait-elle. Justement, Dédé est allée reporter l'ouvrage; puis, entre voisins, il faut bien s'entr'aider... Dites donc, vos malles ne sont pas encore complètement défaites; mais il y a du linge dans la commode, n'est-ce pas?

Je l'entendis ouvrir la commode. Elle dut prendre une serviette, qu'elle vint étendre sur la table de nuit. Ensuite, elle frotta une allumette, ce qui me fit penser qu'elle allumait près de moi une des bougies de la cheminée, en guise de cierge. Je suivais chacun de ses mouvements dans la chambre, je me rendais compte de ses moindres actions.

— Ce pauvre monsieur! murmura-t-elle. Heureusement que je vous ai entendue crier, ma chère.

Et, tout d'un coup, la lueur vague que je voyais encore de mon œil gauche, disparut. Mme Gabin venait de me fermer les yeux. Je n'avais pas eu la sensation de son doigt sur ma paupière. Quand j'eus compris, un léger froid commença à me glacer.

Mais la porte s'était rouverte. Dédé, la gamine de dix ans, entrait en criant de sa voix flûtée:

— Maman! maman! ah! je savais bien que tu étais ici!... Tiens, voilà ton compte, trois francs quatre sous... J'ai rapporté vingt douzaines d'abat-jour...

— Chut! chut! tais-toi donc! répétait vainement la mère.

Comme la petite continuait, elle lui montra le lit. Dédé s'arrêta, et je la sentis inquiète, reculant vers la porte.

— Est-ce que le monsieur dort? demanda-t-elle très bas.

— Oui, va-t'en jouer, répondit Mme Gabin.

Mais l'enfant ne s'en allait pas. Elle devait me regarder de ses yeux agrandis, effarée et comprenant vaguement. Brusquement, elle parut prise d'une peur folle, elle se sauva en culbutant une chaise.

— Il est mort, oh! maman, il est mort.

Un profond silence régna. Marguerite, accablée dans le fauteuil, ne pleurait plus. Mme Gabin rôdait toujours par la chambre. Elle se remit à parler entre ses dents.

— Les enfants savent tout, au jour d'aujourd'hui. Voyez celle-là. Dieu sait si je l'élève bien! Lorsqu'elle va faire une commission ou que je l'envoie reporter l'ouvrage, je calcule les minutes, pour être sûre qu'elle ne galopine pas... Ça ne fait rien, elle sait tout, elle a vu d'un coup d'œil ce qu'il en était. Pourtant, on ne lui a jamais montré qu'un mort, son oncle François, et, à cette époque, elle n'avait pas quatre ans... Enfin, il n'y a plus d'enfants, que voulez-vous!

Elle s'interrompit, elle passa sans transition à un autre sujet.

— Dites donc, ma petite, il faut songer aux formalités, la déclaration à la mairie, puis tous les détails du convoi. Vous n'êtes pas en état de vous occuper de ça. Moi, je ne veux pas vous laisser seule... Hein? si vous le permettez, je vais voir si M. Simoneau est chez lui.

Marguerite ne répondit pas. J'assistais à toutes ces scènes comme de très loin. Il me semblait, par moments, que je volais, ainsi qu'une flamme subtile, dans l'air de la chambre, tandis qu'un étranger, une masse informe reposait inerte sur le lit. Cependant, j'aurais voulu que Marguerite refusât les services de ce Simoneau. Je l'avais aperçu trois ou quatre fois durant ma courte maladie. Il habitait une chambre voisine et se montrait très serviable. Mme Gabin nous avait raconté qu'il se trouvait simplement de passage à Paris, où il venait recueillir d'anciennes créances de son père, retiré en province et mort dernièrement. C'était un grand garçon, très beau, très fort. Je le détestais, peut-être parce qu'il se portait bien. La veille, il était encore entré, et j'avais souffert de le voir assis près de Marguerite. Elle était si jolie, si blanche à côté de lui!

Et il l'avait regardée si profondément, pendant qu'elle lui souriait, en disant qu'il était bien bon de venir ainsi prendre de mes nouvelles!

— Voici M. Simoneau, murmura Mme Gabin, qui rentrait.

Il poussa doucement la porte, et, dès qu'elle l'aperçut, Marguerite de nouveau éclata en larmes. La présence de cet ami, du seul homme qu'elle connût, réveillait en elle sa douleur. Il n'essaya pas de la consoler. Je ne pouvais le voir; mais, dans les ténèbres qui m'enveloppaient, j'évoquais sa figure, et je le distinguais nettement, troublé, chagrin de trouver la pauvre femme dans un tel désespoir. Et qu'elle devait être belle pourtant, avec ses cheveux blonds dénoués, sa face pâle, ses chères petites mains d'enfant brûlantes de fièvre!

— Je me mets à votre disposition, madame, murmura Simoneau. Si vous voulez bien me charger de tout...

Elle ne lui répondit que par des paroles entrecoupées. Mais, comme le jeune homme se retirait, Mme Gabin l'accompagna, et je l'entendis qui parlait d'argent, en passant près de moi. Cela coûtait toujours très cher; elle craignait bien que la pauvre petite n'eût pas un sou. En tout cas, on pouvait la questionner. Simoneau fit taire la vieille femme. Il ne voulait pas qu'on tourmentât Marguerite. Il allait passer à la mairie et commander le convoi.

Quand le silence recommença, je me demandai si ce cauchemar durerait longtemps ainsi. Je vivais, puisque je percevais les moindres faits extérieurs. Et je commençais à me rendre un compte exact de mon état. Il devait s'agir d'un de ces cas de catalepsie dont j'avais entendu parler. Déjà, quand j'étais enfant, à l'époque de ma grande maladie nerveuse, j'avais eu des syncopes de plusieurs heures. Évidemment c'était une crise de cette nature qui me tenait rigide, comme mort, et qui trompait tout le monde autour de moi. Mais le cœur allait reprendre ses battements, le sang circulerait de nouveau dans la détente des muscles; et je m'éveillerais, et je consolerais Marguerite. En raisonnant ainsi, je m'exhortai à la patience.

Les heures passaient. Mme Gabin avait apporté son déjeuner. Marguerite refusait toute nourriture. Puis, l'après-midi s'écoula. Par la fenêtre laissée ouverte, montaient les bruits de la rue Dauphine. A un léger tintement du cuivre du chandelier sur le marbre de la table de nuit, il me sembla qu'on venait de changer la bougie. Enfin, Simoneau reparut.

— Eh bien? lui demanda à demi-voix la vieille femme.

— Tout est réglé, répondit-il. Le convoi est pour demain onze heures... Ne vous inquiétez de rien, et ne parlez pas de ces choses devant cette pauvre femme.

Mme Gabin reprit quand même:

— Le médecin des morts n'est pas venu encore.

Simoneau alla s'asseoir près de Marguerite, l'encouragea, et se tut. Le convoi était pour le lendemain onze heures: cette parole retentissait dans mon crâne comme un glas. Et ce médecin qui ne venait point, ce médecin des morts, comme le nommait Mme Gabin! Lui, verrait bien tout de suite que j'étais simplement en léthargie. Il ferait le nécessaire, il saurait m'éveiller. Je l'attendais dans une impatience affreuse.

Cependant, la journée s'écoula. Mme Gabin, pour ne pas perdre son temps, avait fini par apporter ses abat-jour. Même, après en avoir demandé la permission à Marguerite, elle fit venir Dédé, parce que, disait-elle, elle n'aimait guère laisser les enfants longtemps seuls.

— Allons, entre, murmura-t-elle en amenant la petite, et ne fais pas la bête, ne regarde pas de ce côté, ou tu auras affaire à moi.

Elle lui défendait de me regarder, elle trouvait cela plus convenable. Dédé, sûrement, glissait des coups d'œil de temps à autre, car j'entendais sa mère lui allonger des claques sur les bras. Elle lui répétait furieusement:

— Travaille, ou je te fais sortir. Et, cette nuit, le monsieur ira te tirer les pieds.

Toutes deux, la mère et la fille, s'étaient installées devant notre table. Le bruit de leurs ciseaux découpant les abat-jour me parvenait distinctement; ceux-là, très délicats, demandaient sans doute un découpage compliqué, car elles n'allaient pas vite: je les comptais un à un, pour combattre mon angoisse croissante.

Et, dans la chambre, il n'y avait que le petit bruit des ciseaux. Marguerite, vaincue par la fatigue, devait s'être assoupie. A deux reprises, Simoneau se leva. L'idée abominable qu'il profitait du sommeil de Marguerite, pour effleurer des lèvres ses cheveux, me torturait. Je ne connaissais pas cet homme, et je sentais qu'il aimait ma femme. Un rire de la petite Dédé acheva de m'irriter.

— Pourquoi ris-tu, imbécile? lui demanda sa mère. Je vais te mettre sur le carré... Voyons, réponds, qu'est-ce qui te fait rire?

L'enfant balbutiait. Elle n'avait pas ri, elle avait toussé. Moi, je m'imaginais qu'elle devait avoir vu Simoneau se pencher vers Marguerite, et que cela lui paraissait drôle.

La lampe était allumée, lorsqu'on frappa.

— Ah! voici le médecin, dit la vieille femme.

C'était le médecin, en effet. Il ne s'excusa même pas de venir si tard. Sans doute, il avait eu bien des étages à monter, dans la journée. Comme la lampe éclairait très faiblement la chambre, il demanda:

— Le corps est ici?

— Oui, monsieur, répondit Simoneau.

Marguerite s'était levée, frissonnante. Mme Gabin avait mis Dédé sur le palier, parce qu'un enfant n'a pas besoin d'assister à ça; et elle s'efforçait d'entraîner ma femme vers la fenêtre, afin de lui épargner un tel spectacle.

Pourtant, le médecin venait de s'approcher d'un pas rapide. Je le devinais fatigué, pressé, impatienté. M'avait-il touché la main? Avait-il posé la sienne sur mon cœur? Je ne saurais le dire. Mais il me sembla qu'il s'était simplement penché d'un air indifférent.

— Voulez-vous que je prenne la lampe pour vous éclairer? offrit Simoneau avec obligeance.

— Non, inutile, dit le médecin tranquillement.

Comment! inutile! Cet homme avait ma vie entre les mains, et il jugeait inutile de procéder à un examen attentif. Mais je n'étais pas mort! j'aurais voulu crier que je n'étais pas mort!

— A quelle heure est-il mort? reprit-il.

— A six heures du matin, répondit Simoneau.

Une furieuse révolte montait en moi, dans les liens terribles qui me liaient. Oh! ne pouvoir parler, ne pouvoir remuer un membre!

Le médecin ajouta:

— Ce temps lourd est mauvais... Rien n'est fatigant comme ces premières journées de printemps.

Et il s'éloigna. C'était ma vie qui s'en allait. Des cris, des larmes, des injures m'étouffaient, déchiraient ma gorge convulsée, où ne passait plus un souffle. Ah! le misérable, dont l'habitude professionnelle avait fait une machine, et qui venait au lit des morts avec l'idée d'une simple formalité à remplir! Il ne savait donc rien, cet homme! Toute sa science était donc menteuse, puisqu'il ne pouvait d'un coup d'œil distinguer la vie de la mort! Et il s'en allait, et il s'en allait!

— Bonsoir, monsieur, dit Simoneau.

Il y eut un silence. Le médecin devait s'incliner devant Marguerite, qui était revenue, pendant que Mme Gabin fermait la fenêtre. Puis, il sortit de la chambre, j'entendis ses pas qui descendaient l'escalier.

Allons, c'était fini, j'étais condamné. Mon dernier espoir disparaissait avec cet homme. Si je ne m'éveillais pas avant le lendemain onze heures, on m'enterrait vivant. Et cette pensée était si effroyable, que je perdis conscience de ce qui m'entourait. Ce fut comme un évanouissement dans la mort elle-même. Le dernier bruit qui me frappa fut le petit bruit des ciseaux de Mme Gabin et de Dédé. La veillée funèbre commençait. Personne ne parlait plus. Marguerite avait refusé de dormir dans la chambre de la voisine. Elle était là, couchée à demi au fond du fauteuil, avec son beau visage pâle, ses yeux clos dont les cils restaient trempés de larmes; tandis que, silencieux dans l'ombre, assis devant elle, Simoneau la regardait.

III

Je ne puis dire quelle fut mon agonie, pendant la matinée du lendemain. Cela m'est demeuré comme un rêve horrible, où mes sensations étaient si singulières, si troublées, qu'il me serait difficile de les noter exactement. Ce qui rendait ma torture affreuse, c'était que j'espérais toujours un brusque réveil. Et, à mesure que l'heure du convoi approchait, l'épouvante m'étranglait davantage.

Ce fut vers le matin seulement que j'eus de nouveau conscience des personnes et des choses qui m'entouraient. Un grincement de l'espagnolette me tira de ma somnolence. Mme Gabin avait ouvert la fenêtre. Il devait être environ sept heures, car j'entendais des cris de marchands, dans la rue, la voix grêle d'une gamine qui vendait du mouron, une autre voix enrouée criant des carottes. Ce réveil bruyant de Paris me calma d'abord: il me semblait impossible qu'on m'enfouît dans la terre, au milieu de toute cette vie. Un souvenir achevait de me rassurer. Je me rappelais avoir vu un cas pareil au mien, lorsque j'étais employé à l'hôpital de Guérande. Un homme y avait ainsi dormi pendant vingt-huit heures, son sommeil était même si profond, que les médecins hésitaient à se prononcer; puis, cet homme s'était assis sur son séant, et il avait pu se lever tout de suite. Moi, il y avait déjà vingt-cinq heures que je dormais. Si je m'éveillais vers dix heures, il serait temps encore.

Je tâchai de me rendre compte des personnes qui se trouvaient dans la chambre, et de ce qu'on y faisait. La petite Dédé devait jouer sur le carré, car la porte s'étant ouverte, un rire d'enfant vint du dehors. Sans doute, Simoneau n'était plus là: aucun bruit ne me révélait sa présence. Les savates de Mme Gabin traînaient seules sur le carreau. On parla enfin.

— Ma chère, dit la vieille, vous avez tort de ne pas en prendre pendant qu'il est chaud, ça vous soutiendrait.

Elle s'adressait à Marguerite, et le léger égouttement du filtre, sur la cheminée, m'apprit qu'elle était en train de faire du café.

— Ce n'est pas pour dire, continua-t-elle, mais j'avais besoin de ça... A mon âge, ça ne vaut rien de veiller. Et c'est si triste, la nuit, quand il y a un malheur dans une maison... Prenez donc du café, ma chère, une larme seulement.

Et elle força Marguerite à en boire une tasse.

— Hein? c'est chaud, ça vous remet. Il vous faut des forces pour aller jusqu'au bout de la journée... Maintenant, si vous étiez bien sage, vous passeriez dans ma chambre, et vous attendriez là.

— Non, je veux rester, répondit Marguerite résolument.

Sa voix, que je n'avais plus entendue depuis la veille, me toucha beaucoup. Elle était changée, brisée de douleur. Ah! chère femme! je la sentais près de moi, comme une consolation dernière. Je savais qu'elle ne me quittait pas des yeux, qu'elle me pleurait de toutes les larmes de son cœur.

Mais les minutes passaient. Il y eut, à la porte, un bruit que je ne m'expliquai pas d'abord. On aurait dit l'emménagement d'un meuble qui se heurtait contre les murs de l'escalier trop étroit. Puis, je compris, en entendant de nouveau les larmes de Marguerite. C'était la bière.

— Vous venez trop tôt, dit Mme Gabin d'un air de mauvaise humeur. Posez ça derrière le lit.

Quelle heure était-il donc? Neuf heures peut-être. Ainsi, cette bière était déjà là. Et je la voyais dans la nuit épaisse, toute neuve, avec ses planches à peine rabotées. Mon Dieu! est-ce que tout allait finir? est-ce qu'on m'emporterait dans cette boîte, que je sentais à mes pieds?

J'eus pourtant une suprême joie. Marguerite, malgré sa faiblesse, voulut me donner les derniers soins. Ce fut elle qui, aidée de la vieille femme, m'habilla, avec une tendresse de sœur et d'épouse. Je sentais que j'étais une fois encore entre ses bras, à chaque vêtement qu'elle me passait. Elle s'arrêtait, succombant sous l'émotion; elle m'étreignait, elle me baignait de ses pleurs. J'aurais voulu pouvoir lui rendre son étreinte, en lui criant: «Je vis!» et je restais impuissant, je devais m'abandonner comme une masse inerte.

— Vous avez tort, tout ça est perdu, répétait Mme Gabin.

Marguerite répondait de sa voix entrecoupée:

— Laissez-moi, je veux lui mettre ce que nous avons de plus beau.

Je compris qu'elle m'habillait comme pour le jour de nos noces. J'avais encore ces vêtements, dont je comptais ne me servir à Paris que les grands jours. Puis, elle retomba dans le fauteuil, épuisée par l'effort qu'elle venait de faire.

Alors, tout d'un coup, Simoneau parla. Sans doute, il venait d'entrer.

— Ils sont en bas, murmura-t-il.

— Bon, ce n'est pas trop tôt, répondit Mme Gabin, en baissant également la voix. Dites-leur de monter, il faut en finir.

— C'est que j'ai peur du désespoir de cette pauvre femme.

La vieille parut réfléchir. Elle reprit:

— Écoutez, monsieur Simoneau, vous allez l'emmener de force dans ma chambre... Je ne veux pas qu'elle reste ici. C'est un service à lui rendre... Pendant ce temps, en un tour de main, ce sera bâclé.

Ces paroles me frappèrent au cœur. Et que devins-je, lorsque j'entendis la lutte affreuse qui s'engagea! Simoneau s'était approché de Marguerite, en la suppliant de ne pas demeurer dans la pièce.

— Par pitié, implorait-il, venez avec moi, épargnez-vous une douleur inutile.

— Non, non, répétait ma femme, je resterai, je veux rester jusqu'au dernier moment. Songez donc que je n'ai que lui au monde, et que, lorsqu'il ne sera plus là, je serai seule.

Cependant, près du lit, Mme Gabin soufflait à l'oreille du jeune homme:

— Marchez donc, empoignez-la, emportez-la dans vos bras.

Est-ce que ce Simoneau allait prendre Marguerite et l'emporter ainsi? Tout de suite, elle cria. D'un élan furieux, je voulus me mettre debout. Mais les ressorts de ma chair étaient brisés. Et je restais si rigide, que je ne pouvais même soulever les paupières pour voir ce qui se passait là, devant moi. La lutte se prolongeait, ma femme s'accrochait aux meubles, en répétant:

— Oh! de grâce, monsieur... Lâchez-moi, je ne veux pas.

Il avait dû la saisir dans ses bras vigoureux, car elle ne poussait plus que des plaintes d'enfant. Il l'emporta, les sanglots se perdirent, et je m'imaginais les voir, lui grand et solide, l'emmenant sur sa poitrine, à son cou, et elle, éplorée, brisée, s'abandonnant, le suivant désormais partout où il voudrait la conduire.

— Fichtre! ça n'a pas été sans peine! murmura Mme Gabin. Allons, houp! maintenant que le plancher est débarrassé!

Dans la colère jalouse qui m'affolait, je regardais cet enlèvement comme un rapt abominable. Je ne voyais plus Marguerite depuis la veille, mais je l'entendais encore. Maintenant, c'était fini; on venait de me la prendre; un homme l'avait ravie, avant même que je fusse dans la terre. Et il était avec elle, derrière la cloison, seul à la consoler, à l'embrasser peut-être!

La porte s'était ouverte de nouveau, des pas lourds marchaient dans la pièce.

— Dépêchons, dépêchons, répétait Mme Gabin. Cette petite dame n'aurait qu'à revenir.

Elle parlait à des gens inconnus et qui ne lui répondaient que par des grognements.

— Moi, vous comprenez, je ne suis pas une parente, je ne suis qu'une voisine. Je n'ai rien à gagner dans tout ça. C'est par pure bonté de cœur que je m'occupe de leurs affaires. Et ce n'est déjà pas si gai... Oui, oui, j'ai passé la nuit. Même qu'il ne faisait guère chaud, vers quatre heures. Enfin, j'ai toujours été bête, je suis trop bonne.

A ce moment, on tira la bière au milieu de la chambre, et je compris. Allons, j'étais condamné, puisque le réveil ne venait pas. Mes idées perdaient de leur netteté, tout roulait en moi dans une fumée noire; et j'éprouvais une telle lassitude, que ce fut comme un soulagement, de ne plus compter sur rien.

— On n'a pas épargné le bois, dit la voix enrouée d'un croque-mort. La boîte est trop longue.

— Eh bien! il y sera à l'aise, ajouta un autre en s'égayant.

Je n'étais pas lourd, et ils s'en félicitaient, car ils avaient trois étages à descendre. Comme ils m'empoignaient par les épaules et par les pieds, Mme Gabin tout d'un coup se fâcha.

— Sacrée gamine! cria-t-elle, il faut qu'elle mette son nez partout... Attends, je vas te faire regarder par les fentes.

C'était Dédé qui entrebâillait la porte et passait sa tête ébouriffée. Elle voulait voir mettre le monsieur dans le boîte. Deux claques vigoureuses retentirent, suivies d'une explosion de sanglots. Et quand la mère fut rentrée, elle causa de sa fille avec les hommes qui m'arrangeaient dans la bière.

— Elle a dix ans. C'est un bon sujet; mais elle est curieuse... Je ne la bats pas tous les jours, seulement, il faut qu'elle obéisse.

— Oh! vous savez, dit un des hommes, toutes les gamines sont comme ça... Lorsqu'il y a un mort quelque part, elles sont toujours à tourner autour.

J'étais allongé commodément, et j'aurais pu croire que je me trouvais encore sur le lit, sans une gêne de mon bras gauche, qui était un peu serré contre une planche. Ainsi qu'ils le disaient, je tenais très bien là-dedans, grâce à ma petite taille.

— Attendez, s'écria Mme Gabin, j'ai promis à sa femme de lui mettre un oreiller sous la tête.

Mais les hommes étaient pressés, ils fourrèrent l'oreiller en me brutalisant. Un d'eux cherchait partout le marteau, avec des jurons. On l'avait oublié en bas, et il fallut descendre. Le couvercle fut posé, je ressentis un ébranlement de tout mon corps, lorsque deux coups de marteau enfoncèrent le premier clou. C'en était fait, j'avais vécu. Puis les clous entrèrent un à un, rapidement, tandis que le marteau sonnait en cadence. On aurait dit des emballeurs clouant une boîte de fruits secs, avec leur adresse insouciante. Dès lors, les bruits ne m'arrivèrent plus qu'assourdis et prolongés, résonnant d'une étrange manière, comme si le cercueil de sapin s'était transformé en une grande caisse d'harmonie. La dernière parole qui frappa mes oreilles, dans cette chambre de la rue Dauphine, ce fut cette phrase de Mme Gabin:

— Descendez doucement, et méfiez-vous de la rampe au second, elle ne tient plus.

On m'emportait, j'avais la sensation d'être roulé dans une mer houleuse. D'ailleurs, à partir de ce moment, mes souvenirs sont très vagues. Je me rappelle pourtant que l'unique préoccupation qui me tenait encore, préoccupation imbécile et comme machinale, était de me rendre compte de la route que nous prenions pour aller au cimetière.

Je ne connaissais pas une rue de Paris, j'ignorais la position exacte des grands cimetières, dont on avait parfois prononcé les noms devant moi, et cela ne m'empêchait pas de concentrer les derniers efforts de mon intelligence, afin de deviner si nous tournions à droite ou à gauche. Le corbillard me cahotait sur les pavés. Autour de moi, le roulement des voitures, le piétinement des passants, faisaient une clameur confuse que développait la sonorité du cercueil. D'abord, je suivis l'itinéraire avec assez de netteté. Puis il y eut une station, on me promena, et je compris que nous étions à l'église. Mais, quand le corbillard s'ébranla de nouveau, je perdis toute conscience des lieux que nous traversions. Une volée de cloches m'avertit que nous passions près d'une église; un roulement plus doux et continu me fit croire que nous longions une promenade. J'étais comme un condamné mené au lieu du supplice, hébété, attendant le coup suprême qui ne venait pas.

On s'arrêta, on me tira du corbillard. Et ce fut bâclé tout de suite. Les bruits avaient cessé, je sentais que j'étais dans un lieu désert, sous des arbres, avec le large ciel sur ma tête. Sans doute, quelques personnes suivaient le convoi, les locataires de l'hôtel, Simoneau et d'autres, car des chuchotements arrivaient jusqu'à moi. Il y eut une psalmodie, un prêtre balbutiait du latin. On piétina deux minutes. Puis, brusquement, je sentis que je m'enfonçais; tandis que des cordes frottaient comme des archets, contre les angles du cercueil, qui rendait un son de contre-basse fêlée. C'était la fin. Un choc terrible, pareil au retentissement d'un coup de canon, éclata un peu à gauche de ma tête; un second choc se produisit à mes pieds; un autre, plus violent encore, me tomba sur le ventre, si sonore, que je crus la bière fendue en deux. Et je m'évanouis.

IV

Combien de temps restai-je ainsi? je ne saurais le dire. Une éternité et une seconde ont la même durée dans le néant. Je n'étais plus. Peu à peu, confusément, la conscience d'être me revint. Je dormais toujours, mais je me mis à rêver. Un cauchemar se détacha du fond noir qui barrait mon horizon. Et ce rêve que je faisais était une imagination étrange, qui m'avait souvent tourmenté autrefois, les yeux ouverts, lorsque, avec ma nature prédisposée aux inventions horribles, je goûtais l'atroce plaisir de me créer des catastrophes.

Je m'imaginais donc que ma femme m'attendait quelque part, à Guérande, je crois, et que j'avais pris le chemin de fer pour aller la rejoindre. Comme le train passait sous un tunnel, tout à coup, un effroyable bruit roulait avec un fracas de tonnerre. C'était un double écroulement qui venait de se produire. Notre train n'avait pas reçu une pierre, les wagons restaient intacts; seulement, aux deux bouts du tunnel, devant et derrière nous, la voûte s'était effondrée, et nous nous trouvions ainsi au centre d'une montagne, murés par des blocs de rocher. Alors commençait une longue et affreuse agonie. Aucun espoir de secours; il fallait un mois pour déblayer le tunnel; encore ce travail demandait-il des précautions infinies, des machines puissantes. Nous étions prisonniers dans une sorte de cave sans issue. Notre mort à tous n'était plus qu'une question d'heures.

Souvent, je le répète, mon imagination avait travaillé sur cette donnée terrible. Je variais le drame à l'infini. J'avais pour acteurs des hommes, des femmes, des enfants, plus de cent personnes, toute une foule qui me fournissait sans cesse de nouveaux épisodes. Il se trouvait bien quelques provisions dans le train; mais la nourriture manquait vite, et sans aller jusqu'à se manger entre eux, les misérables affamés se disputaient férocement le dernier morceau de pain. C'était un vieillard qu'on repoussait à coups de poing et qui agonisait; c'était une mère qui se battait comme une louve, pour défendre les trois ou quatre bouchées réservées à son enfant. Dans mon wagon, deux jeunes mariés râlaient aux bras l'un de l'autre, et ils n'espéraient plus, ils ne bougeaient plus. D'ailleurs, la voie était libre, les gens descendaient, rôdaient le long du train, comme des bêtes lâchées, en quête d'une proie. Toutes les classes se mêlaient, un homme très riche, un haut fonctionnaire, disait-on, pleurait au cou d'un ouvrier, en le tutoyant. Dès les premières heures, les lampes s'étaient épuisées, les feux de la locomotive avaient fini par s'éteindre. Quand on passait d'un wagon à un autre, on tâtait les roues de la main pour ne pas se cogner, et l'on arrivait ainsi à la locomotive, que l'on reconnaissait à sa bielle froide, à ses énormes flancs endormis, force inutile, muette et immobile dans l'ombre. Rien n'était plus effrayant que ce train, ainsi muré tout entier sous terre, comme enterré vivant, avec ses voyageurs, qui mouraient un à un.

Je me complaisais, je descendais dans l'horreur des moindres détails. Des hurlements traversaient les ténèbres. Tout d'un coup, un voisin qu'on ne savait pas là, qu'on ne voyait pas, s'abattait contre votre épaule. Mais, cette fois, ce dont je souffrais surtout, c'était du froid et du manque d'air. Jamais je n'avais eu si froid; un manteau de neige me tombait sur les épaules, une humidité lourde pleuvait sur mon crâne. Et j'étouffais avec cela, il me semblait que la voûte de rocher croulait sur ma poitrine, que toute la montagne pesait et m'écrasait. Cependant, un cri de délivrance avait retenti. Depuis longtemps, nous

nous imaginions entendre au loin un bruit sourd, et nous nous bercions de l'espoir qu'on travaillait près de nous. Le salut n'arrivait point de là pourtant. Un de nous venait de découvrir un puits dans le tunnel; et nous courions tous, nous allions voir ce puits d'air, en haut duquel on apercevait une tache bleue, grande comme un pain à cacheter. Oh! quelle joie, cette tache bleue! C'était le ciel, nous nous grandissions vers elle pour respirer, nous distinguions nettement des points noirs qui s'agitaient, sans doute des ouvriers en train d'établir un treuil, afin d'opérer notre sauvetage. Une clameur furieuse: «Sauvés! sauvés!» sortait de toutes les bouches, tandis que des bras tremblants se levaient vers la petite tache d'un bleu pâle.

Ce fut la violence de cette clameur qui m'éveilla. Où étais-je? Encore dans le tunnel sans doute. Je me trouvais couché tout de mon long, et je sentais, à droite et à gauche, de dures parois qui me serraient les flancs. Je voulus me lever, mais je me cognai violemment le crâne. Le roc m'enveloppait donc de toutes parts? Et la tache bleue avait disparu, le ciel n'était plus là, même lointain. J'étouffais toujours, je claquais des dents, pris d'un frisson.

Brusquement, je me souvins. Une horreur souleva mes cheveux, je sentis l'affreuse vérité couler en moi, des pieds à la tête, comme une glace. Étais-je sorti enfin de cette syncope, qui m'avait frappé pendant de longues heures d'une rigidité de cadavre? Oui, je remuais, je promenais les mains le long des planches du cercueil. Une dernière épreuve me restait à faire: j'ouvris la bouche, je parlai, appelant Marguerite, instinctivement. Mais j'avais hurlé, et ma voix, dans cette boîte de sapin, avait pris un son rauque si effrayant, que je m'épouvantai moi-même. Mon Dieu! c'était donc vrai? je pouvais marcher, crier que je vivais, et ma voix ne serait pas entendue, et j'étais enfermé, écrasé sous la terre!

Je fis un effort suprême pour me calmer et réfléchir. N'y avait-il aucun moyen de sortir de là? Mon rêve recommençait, je n'avais pas encore le cerveau bien solide, je mêlais l'imagination du puits d'air et de sa tache de ciel, avec la réalité de la fosse où je suffoquais. Les yeux démesurément ouverts, je regardais les ténèbres. Peut-être apercevrais-je un trou, une fente, une goutte de lumière! Mais des étincelles de feu passaient seules dans la nuit, des clartés rouges s'élargissaient et s'évanouissaient. Rien, un gouffre noir, insondable. Puis, la lucidité me revenait, j'écartais ce cauchemar imbécile. Il me fallait toute ma tête, si je voulais tenter le salut.

D'abord, le grand danger me parut être dans l'étouffement qui augmentait. Sans doute, j'avais pu rester si longtemps privé d'air, grâce à la syncope qui suspendait en moi les fonctions de l'existence; mais, maintenant que mon cœur battait, que mes poumons soufflaient, j'allais mourir d'asphyxie, si je ne me dégageais au plus tôt. Je souffrais également du froid, et je craignais de me laisser envahir par cet engourdissement mortel des hommes qui tombent dans la neige, pour ne plus se relever.

Tout en me répétant qu'il me fallait du calme, je sentais des bouffées de folie monter à mon crâne. Alors, je m'exhortais, essayant de me rappeler ce que je savais sur la façon dont on enterre. Sans doute, j'étais dans une concession de cinq ans; cela m'ôtait un espoir, car j'avais remarqué autrefois, à Nantes, que les tranchées de la fosse commune laissaient passer, dans leur remblaîment continu, les pieds des dernières bières enfouies. Il m'aurait suffi alors de briser une planche pour m'échapper; tandis que, si je me trouvais dans un trou comblé entièrement, j'avais sur moi toute une couche épaisse de terre, qui allait être un terrible obstacle. N'avais-je pas entendu dire qu'à Paris on enterrait à six pieds de profondeur? Comment percer cette masse énorme? Si même je parvenais à fendre le couvercle, la terre n'allait-elle pas entrer, glisser comme un sable fin, m'emplir les yeux et la bouche? Et ce serait encore la mort, une mort abominable, une noyade dans de la boue.

Cependant, je tâtai soigneusement autour de moi. La bière était grande, je remuais les bras avec facilité. Dans le couvercle, je ne sentis aucune fente. A droite et à gauche, les planches étaient mal rabotées, mais résistantes et solides. Je repliai mon bras le long de ma poitrine, pour remonter vers la tête. Là, je découvris, dans la planche du bout, un nœud qui cédait légèrement sous la pression; je travaillai avec la plus grande peine, je finis par chasser le nœud, et de l'autre côté, en enfonçant le doigt, je reconnus la terre, une terre grasse, argileuse et mouillée. Mais cela ne m'avançait à rien. Je regrettai même d'avoir ôté ce nœud, comme si la terre avait pu entrer. Une autre expérience m'occupa un instant: je tapai autour du cercueil, afin de savoir si, par hasard, il n'y aurait pas quelque vide, à droite ou à gauche. Partout, le son fut le même. Comme je donnais aussi de légers coups de pied, il me sembla pourtant que le son était plus clair au bout. Peut-être n'était-ce qu'un effet de la sonorité du bois.

Alors, je commençai par des poussées légères, les bras en avant, avec les poings. Le bois résista. J'employai ensuite les genoux, m'arc-boutant sur les pieds et sur les reins. Il n'y eut pas un craquement. Je finis par donner toute ma force, je poussai du corps entier, si violemment, que mes os meurtris criaient. Et ce fut à ce moment que je devins fou.

Jusque-là, j'avais résisté au vertige, aux souffles de rage qui montaient par instant en moi, comme une fumée d'ivresse. Surtout, je réprimais les cris, car je comprenais que, si je criais, j'étais perdu. Tout d'un coup, je me mis à crier, à hurler. Cela était plus fort que moi, les hurlements sortaient de ma gorge qui se dégonflait. J'appelai au secours d'une voix que je ne me connaissais pas, m'affolant davantage à chaque nouvel appel, criant que je ne voulais pas mourir. Et j'égratignais le bois avec mes ongles, je me tordais dans les convulsions d'un loup enfermé. Combien de temps dura cette crise? je l'ignore, mais je sens encore l'implacable dureté du cercueil où je me débattais, j'entends encore la tempête de cris et de sanglots dont j'emplissais ces quatre planches. Dans une dernière lueur de raison, j'aurais voulu me retenir et je ne pouvais pas.

Un grand accablement suivit. J'attendais la mort, au milieu d'une somnolence douloureuse. Ce cercueil était de pierre; jamais je ne parviendrais à le fendre; et cette certitude de ma défaite me laissait inerte, sans courage pour tenter un nouvel effort. Une autre souffrance, la faim, s'était jointe au froid et à l'asphyxie. Je défaillais. Bientôt ce supplice fut intolérable. Avec mon doigt, je tâchai d'attirer des pincées de terre, par le nœud que j'avais enfoncé, et je mangeai cette terre, ce qui redoubla mon tourment. Je mordais mes bras, n'osant aller jusqu'au sang, tenté par ma chair, suçant ma peau avec l'envie d'y enfoncer les dents.

Ah! comme je désirais la mort, à cette heure! Toute ma vie, j'avais tremblé devant le néant; et je le voulais, je le réclamais, jamais il ne serait assez noir. Quel enfantillage que de redouter ce sommeil sans rêve, cette éternité de silence et de ténèbres! La mort n'était bonne que parce qu'elle supprimait l'être d'un coup, pour toujours. Oh! dormir comme les pierres, rentrer dans l'argile, n'être plus!

Mes mains tâtonnantes continuaient machinalement à se promener contre le bois. Soudain, je me piquai au pouce gauche, et la légère douleur me tira de mon engourdissement. Qu'était-ce donc? Je cherchai de nouveau, je reconnus un clou, un clou que les croque-morts avaient enfoncé de travers, et qui n'avait pas mordu dans le bord du cercueil. Il était très long, très pointu. La tête tenait dans le couvercle, mais je sentis qu'il remuait. A partir de cet instant, je n'eus plus qu'une idée: avoir ce clou. Je passai ma main droite sur mon ventre, je commençai à l'ébranler. Il ne cédait guère, c'était un gros travail. Je changeais souvent de main, car la main gauche, mal placée, se fatiguait vite. Tandis que je m'acharnais ainsi, tout un plan s'était développé dans ma tête. Ce clou devenait le salut. Il me le fallait quand même. Mais serait-il temps encore? La faim me torturait, je dus m'arrêter, en proie à un vertige qui me laissait les mains molles, l'esprit vacillant. J'avais sucé les gouttes qui coulaient de la piqûre de mon pouce. Alors, je me mordis le bras, je bus mon sang, éperonné par la douleur, ranimé par ce vin tiède et âcre qui mouillait ma bouche. Et je me remis au clou des deux mains, je réussis à l'arracher.

Dès ce moment, je crus au succès. Mon plan était simple. J'enfonçai la pointe du clou dans le couvercle et je traçai une ligne droite, la plus longue possible, où je promenai le clou, de façon à pratiquer une entaille. Mes mains se roidissaient, je m'entêtais furieusement. Quand je pensai avoir assez entamé le bois, j'eus l'idée de me retourner, de me mettre sur le ventre, puis, en me soulevant sur les genoux et sur les coudes, de pousser des reins. Mais, si le couvercle craqua, il ne se fendit pas encore. L'entaille n'était pas assez profonde. Je dus me replacer sur le dos et reprendre la besogne, ce qui me coûta beaucoup de peine. Enfin, je tentai un nouvel effort, et cette fois le couvercle se brisa, d'un bout à l'autre.

Certes, je n'étais pas sauvé, mais l'espérance m'inondait le cœur. J'avais cessé de pousser, je ne bougeais plus, de peur de déterminer quelque éboulement qui m'aurait enseveli. Mon projet était de me servir du couvercle comme d'un abri, tandis que je tâcherais de pratiquer une sorte de puits dans l'argile. Malheureusement, ce travail présentait de grandes difficultés: les mottes épaisses qui se détachaient embarrassaient les planches que je ne pouvais manœuvrer; jamais je n'arriverais au sol, déjà des éboulements partiels me pliaient l'échine et m'enfonçaient la face dans la terre. La peur me reprenait, lorsqu'en m'allongeant pour trouver un point d'appui, je crus sentir que la planche qui fermait la bière, aux pieds, cédait sous la pression. Je tapai alors vigoureusement du talon, songeant qu'il pouvait y avoir, à cet endroit, une fosse qu'on était en train de creuser.

Tout d'un coup, mes pieds enfoncèrent dans le vide. La prévision était juste: une fosse nouvellement ouverte se trouvait là. Je n'eus qu'une mince cloison de terre à trouer pour rouler dans cette fosse. Grand Dieu! j'étais sauvé!

Un instant, je restai sur le dos, les yeux en l'air au fond du trou. Il faisait nuit. Au ciel, les étoiles luisaient dans un bleuissement de velours. Par moments, un vent qui se levait m'apportait une tiédeur de printemps, une odeur d'arbres. Grand Dieu! j'étais sauvé, je respirais, j'avais chaud, et je pleurais, et je balbutiais, les mains dévotement tendues vers l'espace. Oh! que c'était bon de vivre!

V

Ma première pensée fut de me rendre chez le gardien du cimetière, pour qu'il me fît reconduire chez moi. Mais des idées, vagues encore, m'arrêtèrent. J'allais effrayer tout le monde. Pourquoi me presser, lorsque j'étais le maître de la situation? Je me tâtai les membres, je n'avais que la légère morsure de mes dents au bras gauche; et la petite fièvre qui en résultait, m'excitait, me donnait une force inespérée. Certes, je pourrais marcher sans aide.

Alors, je pris mon temps. Toutes sortes de rêveries confuses me traversaient le cerveau. J'avais senti près de moi, dans la fosse, les outils des fossoyeurs, et j'éprouvai le besoin de réparer le dégât que je venais de faire, de reboucher le trou, pour qu'on ne pût s'apercevoir de ma résurrection. A ce moment, je n'avais aucune idée nette; je trouvais seulement inutile de publier l'aventure, éprouvant une honte à vivre, lorsque le monde entier me croyait mort. En une demi-heure de travail, je parvins à effacer toute trace. Et je sautai hors de la fosse.

Quelle belle nuit! Un silence profond régnait dans le cimetière. Les arbres noirs faisaient des ombres immobiles, au milieu de la blancheur des tombes. Comme je cherchais à m'orienter, je remarquai que toute une moitié du ciel flambait d'un reflet d'incendie. Paris était là. Je me dirigeai de ce côté, filant le long d'une avenue, dans l'obscurité des branches. Mais, au bout de cinquante pas, je dus m'arrêter, essoufflé déjà. Et je m'assis sur un banc de pierre. Alors seulement je m'examinai: j'étais complètement habillé, chaussé même, et seul un chapeau me manquait. Combien je remerciai ma chère Marguerite du pieux sentiment qui l'avait fait me vêtir! Le brusque souvenir de Marguerite me remit debout. Je voulais la voir.

Au bout de l'avenue, une muraille m'arrêta. Je montai sur une tombe, et quand je fus pendu au chaperon, de l'autre côté du mur, je me laissai aller. La chute fut rude. Puis, je marchai quelques minutes dans une grande rue déserte, qui tournait autour du cimetière. J'ignorais complètement où j'étais; mais je me répétais avec l'entêtement de l'idée fixe, que j'allais rentrer dans Paris et que je saurais bien trouver la rue Dauphine. Des gens passèrent, je ne les questionnai même pas, saisi de méfiance, ne voulant me confier à personne. Aujourd'hui, j'ai conscience qu'une grosse fièvre me secouait déjà et que ma tête se perdait. Enfin, comme je débouchais sur une grande voie, un éblouissement me prit, et je tombai lourdement sur le trottoir.

Ici, il y a un trou dans ma vie. Pendant trois semaines, je demeurai sans connaissance. Quand je m'éveillai enfin, je me trouvais dans une chambre inconnue. Un homme était là, à me soigner. Il me raconta simplement que, m'ayant ramassé un matin, sur le boulevard Montparnasse, il m'avait gardé chez lui. C'était un vieux docteur, qui n'exerçait plus. Lorsque je le remerciais, il me répondait avec brusquerie que mon cas lui avait paru curieux et qu'il avait voulu l'étudier. D'ailleurs, dans les premiers jours de ma convalescence, il ne me permit de lui adresser aucune question. Plus tard, il ne m'en fit aucune. Durant huit jours encore, je gardai le lit, la tête faible, ne cherchant pas même à me souvenir, car le souvenir était une fatigue et un chagrin. Je me sentais plein de pudeur et de crainte. Lorsque je pourrais sortir, j'irais voir. Peut-être, dans le délire de la fièvre, avais-je laissé échapper un nom; mais jamais le médecin ne fit allusion à ce que j'avais pu dire. Sa charité resta discrète.

Cependant, l'été était venu. Un matin de juin, j'obtins enfin la permission de faire une courte promenade. C'était une matinée superbe, un de ces gais soleils qui donnent une jeunesse aux rues du vieux Paris. J'allais doucement, questionnant les promeneurs à chaque carrefour, demandant la rue Dauphine. J'y arrivai, et j'eus de la peine à reconnaître l'hôtel meublé où nous étions descendus. Une peur d'enfant m'agitait. Si je me présentais brusquement à Marguerite, je craignais de la tuer. Le mieux peut-être serait de prévenir d'abord cette vieille femme, Mme Gabin, qui logeait là. Mais il me déplaisait de mettre quelqu'un entre nous. Je ne m'arrêtais à rien. Tout au fond de moi, il y avait comme un grand vide, comme un sacrifice accompli depuis longtemps.

La maison était toute jaune de soleil. Je l'avais reconnue à un restaurant borgne, qui se trouvait au rez-de-chaussée, et d'où l'on nous montait la nourriture. Je levai les yeux, je regardai la dernière fenêtre du troisième étage, à gauche. Elle était grande ouverte. Tout à coup, une jeune femme, ébouriffée, la camisole de travers, vint s'accouder; et, derrière elle, un jeune homme qui la poursuivait, avança la tête et la baisa au cou. Ce n'était pas Marguerite. Je n'éprouvai aucune surprise. Il me sembla que j'avais rêvé cela et d'autres choses encore que j'allais apprendre.

Un instant, je demeurai dans la rue, indécis, songeant à monter et à questionner ces amoureux qui riaient toujours, au grand soleil. Puis, je pris le parti d'entrer dans le petit restaurant, en bas. Je devais être méconnaissable: ma barbe avait poussé pendant ma fièvre cérébrale, mon visage s'était creusé. Comme je m'asseyais à une table, je vis justement Mme Gabin qui apportait une tasse, pour acheter deux sous de café; et elle se planta devant le comptoir, elle entama avec la dame de l'établissement les commérages de tous les jours. Je tendis l'oreille.

— Eh bien! demandait la dame, cette pauvre petite du troisième a donc fini par se décider?

— Que voulez-vous? répondit Mme Gabin, c'était ce qu'elle avait de mieux à faire. M. Simoneau lui témoignait tant d'amitié!... Il avait heureusement terminé ses affaires, un gros héritage, et il lui offrait de l'emmener là-bas, dans son pays, vivre chez une tante à lui, qui a besoin d'une personne de confiance.

La dame du comptoir eut un léger rire. J'avais enfoncé ma face dans un journal, très pâle, les mains tremblantes.

— Sans doute, ça finira par un mariage, reprit Mme Gabin. Mais je vous jure sur mon honneur que je n'ai rien vu de louche. La petite pleurait son mari, et le jeune homme se conduisait parfaitement bien... Enfin, ils sont partis hier. Quand elle ne sera plus en deuil, n'est-ce pas? ils feront ce qu'ils voudront.

A ce moment, la porte qui menait du restaurant dans l'allée s'ouvrit toute grande, et Dédé entra.

— Maman, tu ne montes pas?... J'attends, moi. Viens vite.

— Tout à l'heure, tu m'embêtes! dit la mère.

L'enfant resta, écoutant les deux femmes, de son air précoce de gamine poussée sur le pavé de Paris.

— Dame! après tout, expliquait Mme Gabin, le défunt ne valait pas M. Simoneau... Il ne me revenait guère, ce gringalet. Toujours à geindre! Et pas le sou! Ah! non, vrai! un mari comme ça, c'est désagréable pour une femme qui a du sang... Tandis que M. Simoneau, un homme riche, fort comme un Turc...

— Oh! interrompit Dédé, moi, je l'ai vu, un jour qu'il se débarbouillait. Il en a, du poil sur les bras!

— Veux-tu t'en aller! cria la vieille en la bousculant. Tu fourres toujours ton nez où il ne doit pas être.

Puis, pour conclure:

— Tenez! l'autre a bien fait de mourir. C'est une fière chance.

Quand je me retrouvai dans la rue, je marchai lentement, les jambes cassées. Pourtant, je ne souffrais pas trop. J'eus même un sourire, en apercevant mon ombre au soleil. En effet, j'étais bien chétif, j'avais eu une singulière idée d'épouser Marguerite. Et je me rappelais ses ennuis à Guérande, ses impatiences, sa vie morne et fatiguée. La chère femme se montrait bonne. Mais je n'avais jamais été son amant, c'était un frère qu'elle venait de pleurer. Pourquoi aurais-je de nouveau dérangé sa vie! un mort n'est pas jaloux. Lorsque je levai la tête, je vis que le jardin du Luxembourg était devant moi. J'y entrai et je m'assis au soleil, rêvant avec une grande douceur. La pensée de Marguerite m'attendrissait, maintenant. Je me l'imaginais en province, dame dans une petite ville, très heureuse, très aimée, très fêtée; elle embellissait, elle avait trois garçons et deux filles. Allons! j'étais un brave homme, d'être mort, et je ne ferais certainement pas la bêtise cruelle de ressusciter.

Depuis ce temps, j'ai beaucoup voyagé, j'ai vécu un peu partout. Je suis un homme médiocre, qui a travaillé et mangé comme tout le monde. La mort ne m'effraie plus; mais elle ne semble pas vouloir de moi, à présent que je n'ai aucune raison de vivre, et je crains qu'elle ne m'oublie.

ANGELINE OU LA MAISON HANTÉE

I

Il y a près de deux ans, je filais à bicyclette par un chemin désert, du côté d'Orgeval, au-dessus de Poissy, lorsque la brusque apparition d'une propriété, au bord de la route, me surprit tellement, que je sautai de machine pour la mieux voir. C'était, sous le ciel gris de novembre, dans le vent froid qui balayait les feuilles mortes, une maison de briques, sans grand caractère, au milieu d'un vaste jardin, planté de vieux arbres. Mais ce qui la rendait extraordinaire, d'une étrangeté farouche qui serrait le cœur, c'était l'affreux abandon dans lequel elle se trouvait. Et, comme un vantail de la grille était arraché, comme un immense écriteau, déteint par les pluies, annonçait que la propriété était à vendre, j'entrai dans le jardin, cédant à une curiosité mêlée d'angoisse et de malaise.

Depuis trente ou quarante ans peut-être, la maison devait être inhabitée. Les briques des corniches et des encadrements, sous les hivers, s'étaient disjointes, envahies de mousses et de lichens. Des lézardes coupaient la façade, pareilles à des rides précoces, sillonnant cette bâtisse solide encore, mais dont on ne prenait plus aucun soin. En bas, les marches du perron, fendues par la gelée, barrées par des orties et par des ronces, étaient là comme un seuil de désolation et de mort. Et, surtout, l'affreuse tristesse venait des fenêtres sans rideaux, nues et glauques, dont les gamins avaient cassé les vitres à coups de pierre, toutes laissant voir le vide morne des pièces, ainsi que des yeux éteints, restés grands ouverts sur un corps sans âme. Puis, à l'entour, le vaste jardin était une dévastation, l'ancien parterre à peine reconnaissable sous la poussée des herbes folles, les allées disparues, mangées par les plantes voraces, les bosquets transformés en forêts vierges, une végétation sauvage de cimetière abandonné, dans l'ombre humide des grands arbres séculaires, dont le vent d'automne, ce jour-là, hurlant tristement sa plainte, emportait les dernières feuilles.

Longtemps je m'oubliai là, au milieu de cette plainte désespérée qui sortait des choses, le cœur troublé d'une peur sourde, d'une détresse grandissante, retenu pourtant par une compassion ardente, un besoin de savoir et de sympathiser avec tout ce que je sentais, autour de moi, de misère et de douleur. Et, lorsque je me fus décidé à sortir, ayant aperçu de l'autre côté de la route, à la fourche de deux chemins, une façon d'auberge, une masure où l'on donnait à boire, j'entrai, résolu à faire causer les gens du pays.

Il n'y avait là qu'une vieille femme, qui me servit en geignant un verre de bière. Elle se plaignait d'être établie sur ce chemin écarté, où il ne passait pas deux cyclistes par jour. Elle parlait indéfiniment, contait son histoire, disait qu'elle se nommait la mère Toussaint, qu'elle était venue de Vernon avec son homme pour prendre cette auberge, que d'abord les choses n'avaient pas mal marché, mais que tout allait de mal en pis, depuis qu'elle était veuve. Et, après son flot de paroles, lorsque je me mis à l'interroger sur la propriété voisine, elle devint tout d'un coup circonspecte, me regardant d'un air méfiant, comme si je voulais lui arracher des secrets redoutables.

— Ah! oui, la Sauvagière, la maison hantée, comme on dit dans le pays... Moi, je ne sais rien, monsieur. Ce n'est pas de mon temps, il n'y aura que trente ans à Pâques que je suis ici, et ces choses-là remontent à quarante ans bientôt. Quand nous sommes venus, la maison était à peu près dans l'état où vous la voyez... Les étés passent, les hivers passent, et rien ne bouge, si ce n'est les pierres qui tombent.

— Mais enfin, demandai-je, pourquoi ne la vend-on pas, puisqu'elle est à vendre?

— Ah! pourquoi? pourquoi? Est-ce que je sais?... On dit tant de choses...

Sans doute, je finissais par lui inspirer confiance. Puis, elle brûlait de me les répéter, ces choses qu'on disait. Elle me conta, pour commencer, que pas une des filles du village voisin n'aurait osé entrer à la Sauvagière, après le crépuscule, parce que le bruit courait qu'une pauvre âme y revenait la nuit. Et, comme je m'étonnais que, si près de Paris, une pareille histoire pût encore trouver quelque créance, elle haussa les épaules, voulut d'abord faire l'âme forte, laissa voir ensuite sa terreur inavouée.

— Il y a pourtant des faits, monsieur. Pourquoi ne vend-on pas? J'en ai vu venir, des acquéreurs, et tous s'en sont allés plus vite qu'ils ne sont venus, jamais on n'en a vu reparaître un seul. Eh bien! ce qui est certain, c'est que, dès qu'un visiteur ose se risquer dans la maison, il s'y passe des choses extraordinaires: les portes battent, se referment toutes seules avec fracas, comme si un vent terrible soufflait; des cris, des gémissements, des sanglots, montent des caves; et, si l'on s'entête, une voix déchirante jette ce cri continu: Angeline! Angeline! Angeline!

dans un appel d'une telle douleur, qu'on en a les os glacés... Je vous répète que c'est prouvé, personne ne vous dira le contraire.

J'avoue que je commençais à me passionner, pris moi-même d'un petit frisson froid sous la peau.

— Et cette Angeline, qui est-ce donc?

— Ah! monsieur, il faudrait tout vous conter. Encore un coup, moi, je ne sais rien.

Cependant, elle finit par me tout dire. Il y avait quarante ans, vers 1858, au moment où le Second Empire triomphant était en continuelle fête, M. de G..., qui occupait une fonction aux Tuileries, perdit sa femme, dont il avait une fillette d'une dizaine d'années, Angeline, un miracle de beauté, vivant portrait de sa mère. Deux ans plus tard, M. de G... se remariait, épousait une autre beauté célèbre, veuve d'un général. Et l'on prétendait que, dès ces secondes noces, une atroce jalousie était née entre Angeline et sa belle-mère: l'une, frappée au cœur de voir sa mère déjà oubliée, remplacée si vite au foyer par cette étrangère; l'autre, obsédée, affolée d'avoir toujours devant elle ce vivant portrait d'une femme qu'elle craignait de ne pouvoir faire oublier. La Sauvagière appartenait à la nouvelle Mme de G..., et là, un soir, en voyant le père embrasser passionnément sa fille, elle aurait, dans sa démence jalouse, frappé l'enfant d'un tel coup, que la pauvre petite serait tombée morte, la nuque brisée. Puis, le reste devenait effroyable: le père éperdu consentant à enterrer lui-même sa fille dans une cave de la maison, pour sauver la meurtrière; le petit corps restant là enfoui durant des années, tandis qu'on disait la fillette chez une tante; les hurlements d'un chien, qui s'acharnait à gratter le sol, faisant enfin découvrir le crime, dont les Tuileries s'étaient empressées d'étouffer le scandale. Aujourd'hui, M. et Mme de G... étaient morts, et Angeline revenait encore chaque nuit, aux appels de la voix lamentable qui l'appelait, de l'au-delà mystérieux des ténèbres.

— Personne ne me démentira, conclut la mère Toussaint. Tout cela est aussi vrai que deux et deux font quatre.

Je l'avais écoutée, effaré, choqué par des invraisemblances, mais conquis cependant par l'étrangeté violente et sombre du drame. Ce M. de G..., j'en avais entendu parler, je croyais savoir qu'en effet il s'était remarié et qu'une douleur de famille avait assombri sa vie. Était-ce donc vrai? Quelle histoire tragique et attendrissante, toutes les passions humaines remuées, exaspérées jusqu'à la démence, le crime passionnel le plus terrifiant qu'on pût voir, une fillette belle comme le jour, adorée, et tuée par la marâtre, et ensevelie par le père dans un coin de cave! C'était trop beau d'émotion et d'horreur. J'allais questionner encore, discuter. Puis, je me demandai à quoi bon? Pourquoi ne pas emporter, dans sa fleur d'imagination populaire, ce conte effroyable?

Comme je remontais à bicyclette, je jetai un dernier coup d'œil sur la Sauvagière. La nuit tombait, la maison en détresse me regardait de ses fenêtres vides et troubles, pareilles à des yeux de morte, pendant que le vent d'automne se lamentait dans les vieux arbres.

II

Pourquoi cette histoire se fixa-t-elle dans mon crâne, jusqu'à devenir une obsession, un véritable tourment? C'est là un de ces problèmes intellectuels difficiles à résoudre. J'avais beau me dire que de pareilles légendes courent la campagne, que celle-ci ne présentait en somme aucun intérêt direct pour moi. Malgré tout, l'enfant morte me hantait, cette Angeline délicieuse et tragique, qu'une voix éplorée appelait chaque nuit, depuis quarante ans, à travers les pièces vides de la maison abandonnée.

Et, pendant les deux premiers mois de l'hiver, je fis des recherches. Évidemment, si peu qu'une telle disparition, une aventure à ce point dramatique, eût transpiré au dehors, les journaux du temps avaient dû en parler. Je fouillai les collections à la Bibliothèque Nationale, sans rien découvrir, pas une ligne ayant trait à une semblable histoire. Puis, j'interrogeai les contemporains, des hommes des Tuileries: aucun ne put me répondre nettement, je n'obtins que des renseignements contradictoires, si bien que j'avais abandonné tout espoir d'arriver à la vérité, sans cesser d'être en proie au tourment du mystère, lorsqu'un hasard me mit, un matin, sur une piste nouvelle.

J'allais, toutes les deux ou trois semaines, rendre une visite de bonne confraternité, de tendresse et d'admiration, au vieux poète V..., qui est mort en avril dernier, à près de soixante-dix ans. Depuis de longues années déjà, une paralysie des jambes le tenait cloué sur un fauteuil dans son petit cabinet de travail de la rue d'Assas, dont la fenêtre donnait sur le jardin du Luxembourg. Il achevait là très doucement une vie de rêve, n'ayant vécu que d'imagination, s'étant fait à lui-même l'idéal palais où il avait, loin du réel, aimé et souffert. Qui de nous ne se rappelle son fin visage aimable, ses cheveux blancs aux boucles enfantines, ses pâles yeux bleus qui avaient gardé une innocence de jeunesse? On ne pouvait dire qu'il mentait toujours. Mais la vérité était qu'il inventait sans cesse, de sorte qu'on ne savait jamais au juste où la réalité cessait pour lui, et où commençait le songe. C'était un bien charmant vieillard, depuis longtemps hors de la vie, dont la conversation m'émotionnait souvent comme une révélation discrète et vague de l'inconnu.

Ce jour-là, je causais donc avec lui, près de la fenêtre, dans l'étroite pièce, que chauffait toujours un feu ardent. Dehors, la gelée était terrible, le jardin du Luxembourg s'étendait blanc de neige, déroulant un vaste horizon de candeur immaculée. Et je ne sais comment j'en vins à lui parler de la Sauvagière, de cette histoire qui me préoccupait encore: le père remarié, la marâtre jalouse de la fillette, vivant portrait de sa mère, puis l'ensevelissement au fond de la cave. Il m'avait écouté avec le tranquille sourire qu'il gardait même dans la tristesse. Un silence s'était fait, son pâle regard bleu se perdit au loin, dans l'immensité blanche du Luxembourg, tandis qu'une ombre de rêve, émanée de lui, semblait l'entourer d'un frisson léger.

— J'ai beaucoup connu M. de G..., dit-il lentement. J'ai connu sa première femme, d'une beauté surhumaine; j'ai connu la seconde, non moins prodigieusement belle; et je les ai même passionnément aimées toutes les deux, sans jamais le dire. J'ai connu Angeline, qui était plus belle encore, que tous les hommes auraient adorée à genoux... Mais les choses ne se sont pas tout à fait passées comme vous le dites.

Ce fut pour moi une grosse émotion. Était-ce donc la vérité inattendue, dont je désespérais? Allais-je tout savoir? D'abord, je ne me méfiai pas, et je lui dis:

— Ah! mon ami, quel service vous me rendrez! Enfin ma pauvre tête va pouvoir se calmer. Parlez vite, dites-moi tout.

Mais il ne m'écoutait pas, ses regards restaient perdus au loin. Puis il parla d'une voix de songe, comme s'il eût créé les êtres et les choses, au fur et à mesure qu'il les évoquait.

— Angeline était, à douze ans, une âme où tout l'amour de la femme avait déjà fleuri, avec ses emportements de joie et de douleur. Ce fut elle qui tomba éperdument jalouse de l'épouse nouvelle, qu'elle voyait chaque jour aux bras de son père. Elle en souffrait comme d'une trahison affreuse, ce n'était plus sa mère seule que le nouveau couple insultait, c'était elle-même qu'il torturait, dont il déchirait le cœur. Chaque nuit, elle entendait sa mère qui l'appelait de son tombeau; et, une nuit, pour la rejoindre, souffrant trop, mourant de trop d'amour, cette fillette de douze ans s'enfonça un couteau dans le cœur.

Je jetai un cri.

— Grand Dieu! est-ce possible?

— Quelle épouvante et quelle horreur, continua-t-il sans m'entendre, lorsque, le lendemain, M. et Mme de G... trouvèrent Angeline dans son petit lit, avec ce couteau jusqu'au manche, en pleine poitrine! Ils étaient à la veille de partir pour l'Italie, il n'y avait même plus là qu'une vieille femme de chambre qui avait élevé l'enfant. Dans leur terreur qu'on pût les accuser d'un crime, ils se firent aider par elle, ils enterrèrent en effet le petit corps, mais en un coin de la serre qui est derrière la maison, au pied d'un oranger géant. Et on l'y trouva, le jour où, les parents morts, la vieille bonne conta cette histoire.

Des doutes m'étaient venus, je l'examinais, pris d'inquiétude, me demandant s'il n'inventait pas.

— Mais, lui demandai-je, croyez-vous donc aussi qu'Angeline puisse revenir chaque nuit, au cri déchirant de la voix mystérieuse qui l'appelle?

Cette fois il me regarda, il se remit à sourire d'un air indulgent.

— Revenir, mon ami, eh! tout le monde revient. Pourquoi ne voulez-vous pas que l'âme de la chère petite morte habite encore les lieux où elle a aimé et souffert? Si l'on entend une voix qui l'appelle, c'est que la vie n'a pas encore recommencé pour elle, et elle recommencera, soyez-en sûr, car tout recommence, rien ne se perd, pas plus l'amour que la beauté... Angeline! Angeline! Angeline! et elle renaîtra dans le soleil et dans les fleurs.

Décidément, ni la conviction ni le calme ne se faisaient en moi. Mon vieil ami V..., le poète enfant, ne m'avait même apporté que plus de trouble. Il inventait sûrement. Cependant, comme tous les voyants, peut-être devinait-il.

— C'est bien vrai, tout ce que vous me racontez là? osai-je lui demander en riant.

Il s'égaya doucement à son tour.

— Mais, certainement, c'est vrai. Est-ce que tout l'infini n'est pas vrai?

Ce fut la dernière fois que je le vis, ayant dû m'absenter de Paris, quelque temps après. Je le revois encore, avec son regard songeur, perdu sur les nappes blanches du Luxembourg, si tranquille dans la certitude de son rêve sans fin, tandis que moi, le besoin de fixer à jamais la vérité, toujours fuyante, me dévore.

III

Dix-huit mois se passèrent. J'avais dû voyager, de grands soucis et de grandes joies avaient passionné ma vie, dans le coup de tempête qui nous emporte tous à l'inconnu. Mais, toujours, à certaines heures, j'entendais venir de loin et passer en moi le cri désolé: Angeline! Angeline! Angeline! Et je restai tremblant, repris de doute, torturé par le besoin de savoir. Je ne pouvais oublier, il n'est d'autre enfer pour moi que l'incertitude.

Je ne puis dire comment, par une admirable soirée de juin, je me retrouvai à bicyclette dans le chemin écarté de la Sauvagière. Avais-je formellement voulu la revoir? était-ce un simple instinct qui m'avait fait quitter la grand'route pour me diriger de ce côté? Il était près de huit heures; mais le ciel, à ces plus longs jours de l'année, rayonnait encore d'un coucher d'astre triomphal, sans un nuage, tout un infini d'or et d'azur. Et quel air léger et délicieux, quelle bonne odeur d'arbres et d'herbages, quelle tendre allégresse dans la paix immense des champs!

Comme la première fois, devant la Sauvagière, la stupeur me fit sauter de machine. J'hésitai un instant, ce n'était plus la même propriété. Une belle grille neuve luisait au soleil couchant, on avait relevé les murs de clôture, et la maison, que je voyais à peine parmi les arbres, me semblait avoir repris une gaîté riante de jeunesse. Était-ce donc la résurrection annoncée? Angeline était-elle revenue à la vie, aux appels de la voix lointaine?

J'étais resté sur la route, saisi, regardant, lorsqu'un pas traînard, près de moi, me fit tressaillir. C'était la mère Toussaint, qui ramenait sa vache d'une luzerne voisine.

— Ils n'ont donc pas eu peur, ceux-là? dis-je, en désignant la maison du geste.

Elle me reconnut, elle arrêta sa bête.

— Ah! monsieur, il y a des gens qui marcheraient sur le bon Dieu. Voici plus d'un an déjà que la propriété a été achetée. Mais c'est un peintre qui a fait ce coup-là, le peintre B..., et vous savez, ces artistes, c'est capable de tout.

Puis, elle emmena sa vache, en ajoutant, avec un hochement de tête:

— Enfin, faudra voir comment ça tourne.

Le peintre B..., le délicat et ingénieux artiste qui avait peint tant d'aimables Parisiennes! Je le connaissais un peu, nous échangions des poignées de main, dans les théâtres, dans les salles d'exposition, partout où l'on se rencontre. Et, brusquement, une irrésistible envie me prit d'entrer, de me confesser à lui, de le supplier de me dire ce qu'il savait de vérité, sur cette Sauvagière dont l'inconnu m'obsédait. Et, sans raisonner, sans m'arrêter à mon costume poussiéreux de cycliste, que l'usage commence à tolérer d'ailleurs, je roulai ma bicyclette jusqu'au tronc moussu d'un vieil arbre. Au tintement clair de la sonnette, dont le ressort battait à la grille, un domestique vint, à qui je remis ma carte, et qui me laissa un instant dans le jardin.

Ma surprise grandit encore, lorsque je jetai un regard autour de moi. On avait réparé la façade, plus de lézardes, plus de briques disjointes; le perron, garni de roses, était redevenu un seuil de bienvenue joyeuse; et les fenêtres vivantes riaient maintenant, disaient la joie intérieure, derrière la blancheur de leurs rideaux. Puis, c'était le jardin débarrassé de ses orties et de ses ronces, le parterre reparu, comme un grand bouquet odorant, les vieux arbres rajeunis, dans leur paix séculaire, par la pluie d'or d'un soleil printanier.

Quand le domestique reparut, il m'introduisit dans un salon, en me disant que monsieur était allé au village voisin, mais qu'il ne tarderait pas à rentrer. J'aurais attendu des heures; je pris patience en examinant d'abord la pièce où je me trouvais, installée luxueusement avec des tapis épais, des rideaux et des portières de cretonne, appareillés au vaste divan et aux fauteuils profonds. Ces tentures étaient même si amples, que je fus étonné de la brusque tombée du jour. Puis, la nuit se fit presque complète. Je ne sais combien de temps je dus rester là, on m'avait oublié, sans même apporter de lampe. Assis dans l'ombre, je m'étais mis à revivre toute l'histoire tragique, m'abandonnant au rêve. Angeline avait-elle été assassinée? s'était-elle enfoncé elle-même un couteau en plein cœur? Et, je l'avoue, dans cette maison hantée, redevenue noire, la peur me prit, une peur qui ne fut qu'un léger malaise, qu'un petit frisson à fleur de peau, puis qui s'exaspéra, qui me glaça tout entier, dans une folie d'épouvante.

D'abord il me sembla que des bruits vagues erraient quelque part. C'était dans les profondeurs des caves sans doute: des plaintes sourdes, des sanglots étouffés, des pas lourds de fantôme. Ensuite, cela monta, se rapprocha, toute la maison obscure me parut se remplir de cette détresse effroyable. Et, tout à coup, le terrible appel retentit: Angeline! Angeline! Angeline! avec une telle force croissante, que je crus en sentir passer le souffle froid sur ma face. Une porte du salon s'ouvrit violemment, Angeline entra, traversa la pièce sans me voir. Je la reconnus, dans le coup de lumière qui était entré avec elle, du vestibule éclairé. C'était bien la petite morte de douze ans, d'une beauté miraculeuse, avec ses admirables cheveux blonds sur les épaules, vêtue de blanc, toute blanche de la terre d'où elle revenait chaque nuit. Elle passa muette, éperdue, disparut par une autre porte, tandis que de nouveau le cri reprenait, plus lointain: Angeline! Angeline! Angeline! Et je restai debout, la sueur au front, dans une horreur qui hérissait tout le poil de mon corps, sous le vent de terreur venu du mystère.

Presque aussitôt, je crois, au moment où le domestique apportait enfin une lampe, j'eus conscience que le peintre B... était là et qu'il me serrait la main, en s'excusant de s'être si longtemps fait attendre. Je n'eus pas de faux amour-propre, je lui contai tout de suite mon histoire, encore frémissant. Et avec quel étonnement d'abord il m'écouta, et avec quels bons rires ensuite il s'empressa de me rassurer!

— Vous ignoriez sans doute, mon cher, que je suis un cousin de la seconde Mme de G... La pauvre femme! l'accuser du meurtre de cette enfant, qui l'a aimée et qui l'a pleurée autant que le père! Car la seule chose vraie, c'est en effet que la pauvre petite est morte ici, non de sa propre main, grand Dieu! mais d'une brusque fièvre, dans un tel coup de foudre, que les parents, ayant pris cette maison en horreur, n'ont jamais voulu y revenir. Cela explique qu'elle soit restée inhabitée de leur vivant. Après leur mort, il y a eu d'interminables procès, qui en ont empêché la vente. Je la désirais, je l'ai guettée pendant de longues années, et je vous assure que nous n'y avons encore vu aucun revenant.

Le petit frisson me reprit, je balbutiai:

— Mais Angeline, je viens de la voir, là à l'instant... La voix terrible l'appelait, et elle a passé là, elle a traversé cette pièce.

Il me regardait, effaré, croyant que je perdais la raison. Puis, tout à coup, il éclata de son rire sonore d'homme heureux.

— C'est ma fille que vous venez de voir. Elle a eu justement pour parrain M. de G..., qui lui a donné, par une dévotion du souvenir, ce nom d'Angeline; et, sa mère l'ayant sans doute appelée tout à l'heure, elle aura passé par cette pièce.

Lui-même ouvrit une porte, jeta de nouveau l'appel:

— Angeline! Angeline! Angeline!

L'enfant revint, mais vivante, mais vibrante de gaîté. C'était elle, avec sa robe blanche, avec ses admirables cheveux blonds sur les épaules, et si belle, si rayonnante d'espoir, qu'elle était comme tout un printemps qui portait en bouton la promesse d'amour, le long bonheur d'une existence.

Ah! la chère revenante, l'enfant nouvelle qui renaissait de l'enfant morte. La mort était vaincue. Mon vieil ami, la poète V..., ne mentait pas, rien ne se perd, tout recommence, la beauté comme l'amour. La voix des mères les appelle, ces fillettes d'aujourd'hui, ces amoureuses de demain, et elles revivent sous le soleil et parmi les fleurs. C'était de ce réveil de l'enfant que la maison se trouvait hantée, la maison aujourd'hui redevenue jeune et heureuse, dans la joie enfin retrouvée de l'éternelle vie.

NOTES

Only words and expressions used in particular or specialized senses, or not readily found in a good dictionary, are discussed in this section.

LES QUATRE JOURNÉES DE JEAN GOURDON (*page* 33)

page 33. *Dourgues.* A fictitious place.

la Durance. River in Provence, formerly flowing into the Rhône. The main course has now (1967) been diverted to irrigate dry areas and supply power to hydro-electric plants, and flows into the Mediterranean.

page 34. *Le ciel... violettes.* A description that is lyrical in a subdued way, but also colourful and evocative. A charming vignette.

Moi, j'étais de l'autre côté... The author makes no transition between this sentence and the preceding one. In this way he emphasizes Jean's indifference to his uncle's worthy intentions.

Je connaissais tous les caprices... journée. The personification of aspects of nature, and of objects, is constant in Zola. In this story the first example occurs in the first sentence, and there are numerous subsequent examples. This stylistic feature, when applied by Zola to nature, often produces lyrical, even over-emotional effects; when applied to man-made objects, it often produces very dramatic effects. Cf. Introduction, page 16.

page 35. *avaient des balancements qui me ravissaient*, 'swayed in a way that delighted me'. *Avoir* is sometimes used, roughly in the sense of *faire*, with substantives expressing sound or movement. It usually has to be rendered freely. Cf. Notes to pages 36, 90 and 93.

Elle n'était plus... Elle = la vallée.

Il aurait emporté... que je serais resté là = Même s'il avait emporté... je serais resté là.

page 36. *redevint enfant*, 'recovered her fresh gaiety'. Used figuratively. Cf. *redevenu enfant* on page 51.

Sa soutane... sourds, 'One end of his cassock trailed over the gravel with a slight, muffled flapping sound'. Cf. Note to page 35.

page 37. *La rivière tournait... lueurs d'incendie.* Cf. description noted on pages 34.

page 38. *L'été sera puissant, l'automne sera fécond.* The fecundity of the earth is one of Zola's recurrent themes. Nature is a continual process of birth, death and rebirth. We have here a discreet example, compared with the more powerful and sensual imagery that animates *La Faute de l'abbé Mouret* and that concludes *Germinal.*

Je restai fort sot... Jean's uninspired reaction is welcome to the reader, after the somewhat pretentious and high-sounding tone of the old man's remarks.

page 40. *Un vent frais... l'herbe.* Cf. Notes to pages 34 and 37.

pages 43–44. *Nous étions arrivés... mourir!* The stupidity of war, heightened by the contrast with a magnificent summer's day.

pages 44–46. *—En avant... mon oncle Lazare.* Note the rapidity of this description, and cf. Introduction, page 22.

page 46. *tachaient seuls... ciel,* 'the only stains of grey on the brilliant blue of the sky'.

pages 46–48. For comment on Jean's reading of the letter, cf. Introduction, page 22.

page 50. *les torches jetaient... sombre,* 'the torches made the dark blood in the basins glisten like watered silk'. A gruesomely realistic detail.

vous aviez l'épaule emportée. Familiar for *vous auriez eu...* The imperfect is substituted for the past conditional to indicate certainty.

page 51. *redevenu enfant,* 'in his second childhood'. Cf. Note to page 36.

page 53. *La rivière coulait... œuvre de vie.* Nature is seen symbolically as a woman. The symbolism is made very obvious a few lines later: *J'écoutais mon oncle... ma chère Babet.* Cf. also page 55: *Je l'avoue... terres labourées.*

page 54. *rude commère,* 'hardy female'. *Commère,* which means 'gossip' or 'busybody', cannot be literally translated here. The contrast between the tough and the delicate vines is obvious enough; the image is poorly chosen.

délicate demoiselle, 'dainty maiden'.

page 58. *Et la fenêtre... nouveau-né.* Nature associates herself, again like a human, with the profound emotions of man. Cf. also page 59: *Le soleil... hautes branches,* and page 60: *Une telle douceur... le matin.* These are some of the many examples of the romanticism of Zola, but the association is indicated lightly. Elsewhere, as in section IV of this story, Zola presses it much more relentlessly.

page 61. *riant des lèvres,* 'laughing half-heartedly'.

page 62. *qui nous met l'âme à l'envers,* 'which is getting us all mixed up'. *Tête* or *esprit* would be a more normal word than *âme.* Cf. Note to page 142.

page 63. *Souvent... jusqu'aux chevilles.* This was entirely probable, when the Durance flowed along its natural bed. The poet Mistral refers to its turbulence, and it was particularly liable to overflow when the snow melted. Cf. Note to page 33.

page 66. *marbrures,* 'blotches'.

page 68. *A cette heure... douleurs.* The old man is speaking in the present tense, but the final note is not regret, which is retrospective; it is faith in the future.

LES TROIS GUERRES (*page* 69)

page 69. *Aix.* A Roman colony in the time of Augustus, seat of an archbishop from the sixth century, and administrative capital of Provence in the twelfth. One of the oldest and most famous cities in France.

page 70. *enlevant ses soldats... épée*, 'waving on his soldiers as if he were wielding a great sword'.

l'étude. Preparation (study period in school).

page 71. *borgne*, 'shady, disreputable'. (Familiar.)

Le Cours. Le Cours Mirabeau, the principal artery of Aix; a wide promenade shaded by plane trees. It is rich in historical associations, and has recently been declared an historical monument because of the beauty of its façades and its architectural unity.

page 72. *cuirassiers.* Horse soldiers wearing a cuirass.

couchait chez lui, 'remained with him overnight'.

qui saluait la ville d'un pas redoublé, 'which played a quick march as a salute to the town'.

la fanfare... couvraient tout, 'the trumpets blared out, in ringing tones that drowned everything'.

débandés, 'out of order, out of line'.

Une tiédeur... matin, 'In the chill little morning breeze could be felt a tremor of warmer air.'

page 73. *trous d'herbe*, 'hollows in the fields'. *Trous dans l'herbe* would be more normal.

C'était un spectacle... souvenir. Note in this and the other descriptions of the troops the emphasis on movement and on effects of light.

trou de la rivière, 'sunken spot by the river'.

page 75. The portrait of Julien, with a poetry book in his pocket, with his horror of war, repugnance for displays of physical prowess and scorn for a narrow patriotism, could be a portrait of Zola in 1859.

page 76. *Magenta.* The first French victory over the Austrians, 4 June 1859 (War of Italian Independence).

dont les eaux... moires d'argent. A highly imaginative figure, impossible to render closely; *grand* suggests the expanse of the river, *moires* (in the plural) perhaps confirms this idea. Zola frequently uses this word, which is normally singular, to suggest shimmering light effects (cf. page 50). A possible rendering: 'whose waters quivered in the sunlight like a stretch of crumpled, silvery moire'.

un souffle particulier. We have noted in the Introduction the psychic perceptiveness of Zola.

page 77. *une bonne odeur de poudre.* Note the irony of the image.

Solférino. The second French victory, 24 June 1859.

page 78. *corps de l'État,* 'State authorities'.

salle des États. This is in the part of the Louvre constructed by Napoleon III after 1852.

Parole imprudente... plus tard. Zola cannot resist this piece of irony. The Second Empire was swept away by the Franco-Prussian War of 1870, Napoleon III lost his crown, and after a period of internment took refuge in England, where he died ingloriously in 1873.

page 81. *Frœschviller.* The first French defeat in the Franco-Prussian War.

page 82. *Borny.* A delaying action by the French—their only success, and that a temporary one.

page 83. *compagnie franche.* A unit composed of volunteers not incorporated in a regiment.

page 84. *J'étais un jour aux avant-postes...* In what capacity the narrator was there is not clear. There is no indication that he was in the army. Zola was not.

L'ATTAQUE DU MOULIN (*page* 85)

page 85. *Rocreuse, la Morelle.* The names are fictitious.

Ce moulin... de toutes parts. Note in this description (*a*) the combination of lyrical and precise details, (*b*) the process of accumulation, which leaves the reader with the dominant impression of a joyous and pleasant scene.

trou de verdure, 'oasis of verdure'.

page 86. *C'est comme un fond... colossales corbeilles,* 'It was like a low-lying garden between two wooded slopes, but a natural garden, whose greensward was the meadows, and whose huge round flower beds were traced out by the giant trees.'

perles, 'pearly drops'.

trempait, 'stood'. (Half of the building stood in the water.)

Des fenêtres... irrégulièrement, 'Windows had been put in, following no regular pattern.'

page 87. *Au fond, la maison alignait... colombier,* 'At the far end stood the house, with its line of four windows on the first floor, above which was a dovecote.' The literal sense is: 'the house set out in line the four windows . . .' Zola frequently uses this device of personification, which economizes words and makes for dramatic effect. Cf. *dessinent* on page 86.

gaillardement, 'vigorously'.

chétive, 'weak'.

bien plantés, 'strapping, robust'.

poussait mal, 'grew slowly'.

délicate, 'frail'.

prit une petite figure... du monde, 'her little face had the prettiest expression imaginable'.

friande, 'appetizing'.

Delineating a personage is not one of Zola's strong points; this paragraph is a good example. It is hard to reconcile all the contrasts of which Françoise seems to be composed.

gentillesse, 'engaging manner'.

page 88. *Il aurait eu un commerce... que cela n'aurait point surpris...* For the construction, cf. Note to page 35.

page 89. *d'un tel cœur*, 'so stoutheartedly'.

deviné, 'gauged correctly'.

page 90. *elle avait des craquements*, 'cracking sounds came from it'. Cf. Note to page 35.

nappe, 'unbroken flow'. Appears to refer to the river water which is falling from the lock.

page 91. *Le soleil se levait...* In *Les Quatre Journées de Jean Gourdon*, Zola likewise makes the ironic contrast of a radiant summer day and the cruel folly of mankind.

page 92. *les yeux perdus*, 'with a faraway look in his eyes'.

pâmés, 'inert, drooping'. Literally, 'swooning'.

fumées, 'wisps of smoke'.

page 93. *eurent... le roidissement convulsif*, 'stiffened... convulsively'. Cf. Note to page 35.

tombait en se balançant, 'fell and hung dangling'.

page 95. *encombrait*, 'was in the way'. Usually used transitively.

page 100. *rejaillissement*, 'splash'.

elle s'écartait, 'it was further away'.

page 103. *nappe*, 'stretch of water'. Cf. Note to page 90.

froissements. A possible rendering: 'scraping sound'. An unusual use.

éclats de voix, 'voices raised in anger'.

page 106. *Enfin, choisissez. Lui ou votre père*. A dilemma after the manner of Corneille. Cf. Introduction, page 26.

page 109. *De grands nuages... ombre louche*. Nature shares in the tragedy: a rather naïve example of pathetic fallacy that does not harmonize with the straightforward, direct tone of the major portion of the narrative.

Depuis midi, Françoise agonisait... abominable, 'Since noon, Françoise had been in the grip of a terrible anguish.'

devoir (verb), 'likely to'.

page 111. *farouches*, 'fierce, wild'.

prenaient des bruits de sanglots, 'made sobbing sounds'.

Nature continues to participate in the action. Stylistically, the expression is of doubtful correctness.

imbécile, 'out of her mind'.

Victoire! victoire! This ending is not only supremely ironical, it also indicates the fundamental theme of the story: the folly of war.

Le Chômage (*page* 112)

page 112. *comme noir... ruine*, 'dark, with the desolate air of a ruin'.

bras maigres. The machine is personified. Cf. Introduction, page 16.

elle met là... besogne. More personifications: 'she (the machine) added to the gloominess, she whose breath and movement usually gave life to the whole establishment, she the doughty worker with the giant's heartbeat'.

échéances. Date on which payments are due: 'I haven't a penny to meet my bills with on the 15th.'

à terre, 'down and out'.

page 113. *sonne le glas*, 'tolls the passing-bell'. Figuratively, 'spells death for'.

s'étale, 'flaunts itself'.

page 114. *elle a vendu... son matelas.* A detail taken from Zola's own life. Cf. Denise Le Blond-Zola, *Émile Zola raconté par sa fille*, page 37.

page 115. *Elle regarde la fenêtre... désespoir.* A typical example of Zola's 'realistic' technique: he begins by listing details impersonally, but gradually the human tragedy of which they are evidence takes hold of him, and his sentence ends on a violent, emotional note.

écloppés (usually *éclopés*), 'tottering'.

page 116. *Dis, maman... faim?* Like Maupassant, Zola sometimes reserves for the conclusion the real theme of his story, which is here not so much the economic factor of unemployment as the terrible human consequences of unemployment.

La Mort d'Olivier Bécaille (*page* 117)

page 117. *C'est un samedi... je suis mort...* An arresting beginning.

Depuis mon enfance... m'emporter. Zola's own experience. Nor had Zola forgotten that his own father had died suddenly, in a strange hotel room.

page 118. *Souvent le mari et la femme... on ne parle pas de la mort...*

The precise recall of a nightmare that long haunted Zola and his wife. See F. W. J. Hemmings, *Émile Zola*, page 177.

page 119. *Guérande, Piriac.* Both these places are in the *département* of the Loire-Atlantique, not far from Saint-Nazaire.

paludiers, 'workers in a salt-marsh'.

salines, 'salt-pans, salt-marshes'.

marais salants, synonym of *salines*.

un trou noir. Refers to a period of Olivier's life which contained little happiness worth remembering.

page 121. *Un propriétaire intraitable lui avait vendu ses meubles. Lui* is an example of the ethic dative, that is, the use of a personal pronoun as an indirect object, to express the interest that the speaker takes in the action, or to solicit the interest of the reader in the action. It is a familiar turn, not infrequent in conversation, for instance: *Regardez-moi cette misère.* A possible rendering: 'A stubborn landlord had gone and sold her furniture.'

page 122. *flûtée*, 'high-pitched'.

ton compte, 'the right amount'.

page 123. *ce qu'il en était*, 'what was up, what it was all about'.

page 124. *Le médecin des morts.* The doctor who would certify the death.

page 127. *Ce n'est pas pour dire*, 'There's no getting away from it'.

page 128. *bâclé*, 'fixed up, finished off'. Literally, *bâcler* means 'to do a job perfunctorily'.

page 129. *Cette petite dame n'aurait qu'à revenir.* Implied, but not added in so many words, is something like: 'and then there would be trouble all over again'.

page 130. *je vas te faire...*, 'I'll teach you to . . .'

caisse d'harmonie, 'big drum'.

ne tient plus, 'isn't secure'.

page 131. *bâclé.* Cf. Note to page 128.

On piétina, 'They stood around'.

pages 131–32. *Je m'imaginais donc... un à un.* The nightmare of the train wreck is utilized later by Zola in *La Bête humaine*.

page 134. *remblaîment.* For *remblayage* (the process of filling up or packing with earth).

le son était plus clair au bout. This helps to prepare the reader for Olivier's later discovery: that between the foot of the coffin on the outside, and the open grave, there is only a thin layer of earth.

page 135. *les hurlements sortaient de ma gorge qui se dégonflait*, 'the screams burst out of my throat like air out of a balloon'.

page 138. *Je ne m'arrêtais à rien*, 'I couldn't decide on anything.'

ANGELINE OU LA MAISON HANTÉE (*page* 141).

page 141. *Orgeval, Poissy.* Orgeval is a small village and Poissy a *chef-lieu de canton* in the *département* of Yvelines (created in 1964 from part of the former *département* of Seine-et-Oise); both of them were near Zola's house at Médan.

Depuis trente... dernières feuilles. Note the creation of an atmosphere of desolation and decay, by the combination of realistic details and striking personifications.

page 142. *Vernon.* A *chef-lieu de canton* in the *département* of Eure, some 15 miles from Poissy.

faire l'âme forte, 'pretend not to be superstitious'. *Esprit* would be preferable to *âme*. Cf. Note to page 62.

page 143. *dizaine.* In the last two sections of the story Angeline is said to be twelve years old. Zola may have written *dizaine* inadvertently for *douzaine*.

page 144. *bonne confraternité*, 'good fellowship'.

page 146. *nappes blanches*, 'white expanse (of snow)'.

coup de tempête, 'whirling storm'.

page 148. *sans m'arrêter à*, 'without being put off by'.

pages 148–49. *D'abord... mystère.* A dramatic illustration of the power of an unreasoned idea upon the mind: the writer, under the influence of the dreadful stories he has learned, hears and sees what he imagines.

page 148. *coup de lumière*, 'shaft of light'.

SELECTIVE BIBLIOGRAPHY

1. *Editions of Zola*

ÉMILE ZOLA, *Les Œuvres complètes*, Paris, Bernouard, 1927–29, 50 vols.

ÉMILE ZOLA, *Les Rougon-Macquart*, Paris, Bibliothèque de la Pléïade, 1960–67, 5 vols.

ÉMILE ZOLA, *Œuvres complètes*, Paris, Cercle du Livre Précieux, 1966– (definitive edition in 15 vols., in course of publication).

2. *Selected critical works*

FRANZÉN, NILS-OLOF, *Zola et 'La Joie de vivre'*, Stockholm, Almqvist & Wicksell, 1958.

GRANT, ELLIOTT M., *Zola's 'Germinal': a critical and historical study*, Leicester, Leicester University Press, 1962.

GRANT, RICHARD B., *Zola's 'Son Excellence Eugène Rougon'*, Durham (N.C.), Duke University Press, 1960.

GUILLEMIN, HENRI, *Zola, légende et vérité*, Paris, Julliard, 1960.

HEMMINGS, F. W. J., *Émile Zola*, Oxford, Clarendon Press, 1966.

LANOUX, ARMAND, 'Zola vivant', in *Émile Zola: Œuvres complètes*, Paris, Cercle du Livre Précieux, vol. I, pp. 13–346.

LAPP, JOHN C., *Zola before the 'Rougon-Macquart'*, Toronto, University of Toronto Press, 1964.

LE BLOND-ZOLA, DENISE, *Émile Zola raconté par sa fille*, Paris, Fasquelle, 1931.

MARTINO, P., *Le Naturalisme français (1870–1895)*, Paris, Armand Colin, 1930.

MATTHEWS, J. H., *Les deux Zola*, Geneva, Droz, 1957.

MITTERAND, HENRI, *Zola journaliste: de l'affaire Manet à l'affaire Dreyfus*, Paris, Armand Colin, 1962.

ROBERT, GUY, *Émile Zola: principes et caractères généraux de son œuvre*, Paris, Les Belles Lettres, 1952.

————, *'La Terre' d'Émile Zola: étude historique et critique*, Paris, Les Belles Lettres, 1952.

WILSON, ANGUS, *Émile Zola: an introductory study of his novels*, London, Secker & Warburg, 1952.